De hanen en andere verhalen

Salamander

Ander werk van Doeschka Meijsing

*Robinson* (roman, 1976)
*De kat achterna* (roman, 1977)
*Tijger, tijger!* (roman, 1980)

# Doeschka Meijsing
# De hanen
# en andere verhalen

Amsterdam

Em. Querido's Uitgeverij B.V.

1981

Eerste druk, 1974, tweede druk, als Salamander, 1978; derde druk, 1981.

ISBN 9021494426

# Inhoud

# De hanen

Hanen zijn merkwaardige dieren. Zij missen de gemoedsrust van kippen.

Ik sta ze graag te bekijken als ik thuis ben en bij Maarten langs ga. De kippen gedragen zich belachelijk. Ze schrapen met hun poten de bosgrond opzij, doen twee waggelende stappen achteruit en turen of er iets te vreten valt. Soms zijn ze ook stiekem in de weer in de struiken. Of ze beginnen aan een ondoorgrondelijke sprint. Maar de hanen houden zich met zulke zaken niet bezig. Maarten heeft er drie bij de kippen rondstappen. De kammen fier omhoog zijn ze voortdurend waakzaam: Wat banaliteiten? Waar schuilt het kwaad? Wie is de schuldige? Om dan de hals te rekken en het kwaad in de wereld te bejubelen.

Je kunt natuurlijk ook een andere mening over hanen hebben. De grote neukers, de heren der hoenderschepping, de promotors van potentie. Ik zie niets in dergelijke interpretaties.

Wel heb ik Maarten zo juist de grap laten horen, die mijn docent exegese mij verteld heeft. Als ik bij de hemel aankwam, ried deze mij, dan moest ik een haan onder mijn jasje verborgen houden. Als Petrus dan aarzelde of hij mij wel binnen kon laten, toonde ik de haan en vroeg: ken je díé nog. Een grap uit de roomse hoek, maar niet onaardig.

Maarten heeft wel even geglimlacht maar zijn aandacht is er niet bij. Ook niet bij zijn gebroed dat hem voor de voeten loopt. Nee, zoals altijd zijn zijn ogen op het grote huis gericht waar je van hier uit, dank zij de symmetrische opening in de rodondendronhaag, een goed zicht op hebt. Al toen ik als kind bij hem kwam bedelen om nieuw gesneden pijlen voor mijn boog, dwaalden zijn ogen onder het slijpen steeds naar het huis.

Het is een zonderling, deze Maarten, die ik ken zolang ik mij herinner. Hij lijkt te mager en te weinig gespierd voor een echte boswachter. Hij heeft altijd nog meer weg van de geniale wiskundestudent die hij geweest moet zijn. Bovendien is hij ongeschikt voor zijn werk. Het bos vervalt meer en meer. De bomenstand wordt niet bijgehouden. De door de storm van een jaar geleden gevelde bomen liggen er nog net zo en de gegraven gaten voor de aanplant van jonge beuken staan vol water en rottende bladeren. In mijn jeugd mocht ik herhaaldelijk getuige zijn van grimmige ruzies tussen Maarten en mijn stiefvader. Deze laatste, hoog en breed te paard, beet Maarten orders toe over de afwatering van de sloot of de hoogte van de hindernissen voor zijn dressuur. Maarten zoog op een strootje en luisterde niet, somber broedend op een rekensom met als uitkomst een nét onoverkomelijke hoogte van de hindernissen.

Maarten is trouwens de enige geweest die me niet aan mijn kop gezanikt heeft over mijn studie theologie. Waarschijnlijk deelt hij de mening van mijn stiefvader dat een vent op een paard hoort te zitten en geen verhalen vanaf de kansel moet vertellen. Niet dat Maarten bescheidenheid zou kennen ten aanzien van andermans keuzen. Maar hij heeft iets anders aan zijn hoofd en in dat hoofd past maar een ding tegelijk, degelijk afgemeten als de driehoeken uit zijn schoolboeken van vroeger.

Ik rits mijn jack dicht, want het begint koud te worden in de vochtige schemering. Bovendien zie ik de auto van mijn moeder nu op de oprijlaan van het huis en ze zal me onmiddellijk op willen eisen, de weinige keren dat ik thuiskom.

Ik groet Maarten en sla rechts het bospad in dat naar huis leidt. Vroeger heb ik me er altijd over verbaasd dat het pad eerst weer terug het bos in leidde, slingerend, zodat je geen begrip van richting meer had, totdat het huis plotseling groot en zeer dichtbij voor je stond. De ondoorgrondelijke wegen van God. Maar die had het pad niet laten aanleggen. Dat had een van die vroegere Willems gedaan, wie weet wel naar een blauwdruk van zijn God, die alle daden van alle Willems altijd heeft goedgekeurd. We hebben geen landerijen met bijbehorende boeren meer en de enigen waarover de laatste Willem, mijn stiefvader, nog een schrikbewind kan uitoefenen zijn de steeds wisselende staljongens en de dorre bladeren in het bos. En vroeger over mij.

In de gang van het huis komt mijn moeder mij tegemoet. In het schemerdonker kus ik haar drie maal op de wang zoals ze dat graag heeft. Ik ruik het vertrouwde parfum. Ook deze keer weer is de herinnering aan mijn jeugd heel hevig.

Ze troont me mee naar de tuinkamer. Ze is gelukkig, mijn moeder, dat ze me nog even voor zich alleen heeft, voordat we aan tafel gaan. Ik doe wat licht aan, maar de gordijnen moet ik open laten. Uit de mist van de weilanden rijst de hoge kerk van Vogelenzang. Om de toren scheren de kraaien.

Mijn moeder vraagt naar mijn studie en naar de vrienden en vriendinnen die ik niet heb. De illusie van tenminste een normaal leven voor haar zoon geeft ze nooit op. Ik geef inlichtingen, maar verzwijg haar het gesprek met mijn mentor naar aanleiding van een van de laatste zinnen van mijn scriptie over het predikantenambt.

Het was uiterst onaangenaam dat die zin in mijn betoog terechtgekomen was en het is mij een raadsel hoe ik hem over het hoofd heb kunnen zien. Een onnauwkeurigheid in ieder geval die mij voor verdere versprekingen gewaarschuwd heeft. Nadat ik in vele gesprekken blijk gegeven had van mijn goede trouw is de verbeterde versie geworden: 'Men moet het luiden der klokken niet overlaten aan armen, die slechts het gewicht van melk en honing kennen.' Een zeer zwakke echo van de oorspronkelijke tekst, maar eenvoudiger binnen de leer te verdedigen.

Mijn moeder klaagt. Ze is nog mooi, maar de reumatiek heeft haar in zijn greep. Het kan ook niet anders in dit grote huis, waarvan niet elk vertrek verwarmd kan worden. Ik streel haar even over de wang. Een elektrische deken doet wonderen, vertel ik en ik bezweer het gevaar dat volgens haar knetterend en vonkend van zo'n deken afspringt.

Aan tafel laat mijn stiefvader het wijn schenken aan mij over. Naast hem ligt de krant, ongelezen dit keer, want net op tijd realiseert hij zich mijn aanwezigheid. Hij spreekt tot mij afgebeten zinnen over de dagjesmensen die hij op zijn landgoed moet toelaten om de kosten te drukken en die buiten de paden lopen. Ik ken het probleem van a tot z, want het is het enige onderwerp dat hij de laatste jaren tegen mij heeft aangeroerd. Maar ik geef de gepaste antwoorden. Alles aan mij moet die boerse man irriteren. Ik weet dat en kijk hem eerlijk in de ogen. Geen mens zo onschuldig als ik. Want is het mijn schuld dat ik op zijn broer, mijn vader, lijk? Op Mourits, de jongere, de vrolijke, de geniale, de geliefde?

Vroeger was alles anders. Toen was ik bang voor alles. Voor deze laatste, brede Willem, die te paard door zijn kleine bos joeg, om wandelaars of Maarten op hun fouten te betrappen, om mij op te jagen als ik verdroomd tussen dor kreupelhout zat. Voor Maarten die met een stokje vierkanten en cirkels in het zand trok – is dat wiskunde Maarten? – en zelden antwoord gaf op mijn vragen – wat is er bij het huis Maarten, dat je daar aldoor naar kijkt? – . En mijn moeder was mooier dan andere moeders, maar nooit zo vrolijk of gewoon en ze aaide me te veel. Niet in het huis, niet in het bos. Waar zou je zeggen dat ik blijven moest?

Mijn moeder vertelde me te weinig; in het dorp kletste men te veel; het heeft te lang geduurd voor ik de ware toedracht door kon hebben.

In feite is het gebeurde slechts in geringe mate tragisch. Gebeurtenissen kunnen dat nauwelijks zijn. Er heerst een opvatting dat mensen tragisch zijn. Ik deel die mening niet.

Meer dan vijfentwintig jaar geleden fietste een groepje scholieren dag in dag uit over de Vogelenzangse weg naar het Christelijk Lyceum in Haarlem. In de zomer fietste Willem, die een jaar ouder was dan de rest, nors voorop. Dan kwamen Mourits, die bochtjes reed en naar de takken boven zijn hoofd sloeg, en Maarten, de boerenzoon die Mourits vóór school nog zijn huiswerk zou laten overschrijven. Mia sloot de rij, met een hand aan haar rokken, telkens lachend als Mourits haar voor de wielen reed. In de winter reed Willem nog steeds nors voorop en sloot Maarten de rij, omdat ze anders door Mia's toedoen te laat op school zouden komen. Een bekend troepje, zwaaiend begroet door de inwoners van Vogelenzang.

Toen Willem in de voorlaatste klas van de hbs bleef zitten sprong Mourits vrolijk het leerjaar bij zijn broer binnen, voornamelijk op de resultaten van Maartens sommen. De leerkrachten krabden zich eens achter het oor toen ze de twee zonen van de jonkheer van Vogelenzang zagen, vermoedden een weinig wetenschappelijke list van de Heer der schepping om zo iets tegenstrijdigs binnen één ark te zetten en begonnen er om beurten mee de drukke Mourits het klaslokaal uit te zetten.

Hun vader kwam het te weten. Niet omdat Mourits onder het deemoedig beloven van beterschap de directeur niet zover had weten te krijgen de zaak nog eens aan te zien, maar omdat Willem zijn mond voorbij praatte. Mourits kreeg twee weken na vieren huisarrest. Mourits nam Willem niets kwalijk maar nam wraak door zijn charme wijd en heerlijk over de leraren uit te strooien. Tegen de herfstvakantie tekende hij kaarten op het bord voor de aardrijkskundeleraar, construeerde hij Maartens briljante sommen na voor de klas en was hij aanvoerder van het handbalteam. Op de meeste vragen wist hij niet de juiste antwoorden, maar wel die waarmee hij leraren en lachers op zijn hand kreeg. Willem zat breed achter in de klas en zweeg.

In het eindexamenjaar werden de tegenstellingen binnen het kleine peloton nog sterker.

Lang broedend en stijfhoofdig als een goede boerenzoon was Maarten de onbeduidende verklikkerij van Willem niet vergeten.

Trager in het begrijpen van het gemak van $2\pi r$ dan van de strenge wil van zijn vader klopte Willem een keer bij Maarten aan om hulp bij de wiskunde. Het resultaat van dat korte gesprek was dat Willem die lange hete zomer zonder begrip maar grimmig op de wiskunde zat te turen, terwijl de jongere Mourits (gesteund, geholpen, gestuurd door een zeer didactische Maarten) door de weiden van Vogelenzang dartelde. Niet alleen koppige wrok speelde bij Maarten een rol. Inmiddels vergrijsde boerenzoons hebben Maarten en Mourits verschillende malen betrapt in de schaduw van de iepen. Maar boerenzoons zien meer in de natuur: koeien bespringen koeien op klaarlichte dag en bij de kikkers in de sloot is het geslacht niet eens te onderscheiden. Bovendien is wat de zonen van de heren doen met de zonen van de boeren welgedaan.

Maar niet alleen Maarten was verliefd op de lenige gestalte van zijn vriend. Laten we Mia niet vergeten, die, elke zomer achter Mourits aanfietsend, dat donkere hoofd kon bekijken en die op schoolbals als vaste partner van Mourits wervelende dansen in zijn armen draaide.

En Mourits? We kunnen het ergste veronderstellen: elk verhaal over hem vertoont hetzelfde patroon; elke foto van hem bevestigt dat. Mourits hield van niemand, niet eens van zich zelf. Hij had charme en gebruikte die. Hij had geniale invallen en uitte die om de kring van mensen om hem heen steeds dichter naar zich toe te halen. Toen hij klein was wilde hij nooit buschauffeur worden. Hij wilde de republiek van zijn charme vestigen. Hij wilde heerser zijn over het keizerrijk dat hij met zijn persoonlijkheid om zich heen strooide. Hij maakte daar brokken mee en wist dat. Maar goed of kwaad waren niet te onderscheiden begrippen voor hem. Je gehaat maken is hetzelfde als je geliefd maken. Het enige dat telt is macht, subtiel uitgespeeld, nooit als zodanig herkend door de anderen, de macht van het middelpunt te zijn.

De verliefde Maarten, de verliefde Mia, waren er betere adjudanten denkbaar?

Onder een strakblauwe hemel, die nergens naar regen uitzag, zagen de boeren de jongste zoon van de jonkheer ditmaal met Mia onder de iepen. De Heer zendt geen regen want de Heer ziet het kwaad op aarde. Augustus bleef droog.

De kink in de kabel kwam toen ik mij aankondigde. Mourits was wanhopig; Mia gelukkig en bang; de jonkheer principieel: trouwen en op het huis komen wonen. Nog voor alle formaliteiten en verdoezelingen hadden kunnen plaatsvinden, wist Mourits het te presteren om op een regenachtige namiddag in oktober een dode tak tussen de spaken van zijn fietswiel te krijgen en onder de wielen van een in de schemering te laat remmende auto te komen.

Weer dicteerde de God van de Willems wat er gebeuren moest: Willem junior zou Mia trouwen en op het huis komen wonen. Te versuft door de intellectuele inspanningen en oefeningen voor het herexamen goniometrie, wist Willem junior te weinig argumenten aan te voeren om de vaderlijke wensen ongedaan te maken. Mia koos van twee kwaden niet de rol van ongehuwde moeder.

Verbijsterd maakte Maarten zijn eerste

studiejaar wiskunde af. Daarna vertrok hij uit Vogelenzang en trok drie jaar de wereld door. Toen hij terugkwam, wist hij wat zijn taak was. Hij bedelde Willem om de baan van boswachter. Het was een verleiding voor Willem om te weigeren, maar boswachters waren zeer schaars. Maarten betrok het kleine huisje.

Op mijn derde jaar werd ik door mijn moeder in het wagentje langs het huisje gereden. Mijn verrukking betrof vooral de prachtige hanen vlak bij mijn vingers, maar toch moet ik toen al een beeld hebben opgevangen van Maarten, die, de armen over elkaar, mijn moeders groet niet beantwoordde. Heel lang heb ik rondgelopen in een vreemde wereld, waarin alleen mijn moeder van me hield, en ik de enige was die om haar gaf. Voor drie mannen was ik een fataal kind. Het is om mij dat de twee overgebleven mannen mijn moeder haten. Maarten kijkt. Mijn stiefvader leest de krant. En ik ben het evenbeeld van Mourits. Alleen is mijn wereld wat anders dan die van Mourits. Ik maal niet om mijn charme, ik maal niet om macht. Ik ben een dienaar van een hogere macht.

Binnen afzienbare tijd rond ik mijn studie af. Ik hoop dat ik als predikant in een klein Fries dorp terechtkom, te midden van de boeren. Vanaf de kansel zal ik niet nalaten de eeuwige goedheid van de Heer te bezingen. Ik zal hen wijzen op het goede om ons heen, vele voorbeelden van naastenliefde en Godsvrees er met de haren bij slepen. Een bijna onmogelijke taak, want de meesten zullen me geloven.

Maar misschien zit er één keer in de vijf jaar een jongetje tussen de boeren dat mij zal haten om de leugens die ik verkoop. Dat jongetje zal mijn ware leerling zijn. Hij zal begrijpen dat het Goede niet bestaat. Hij zal niet zien dat ik de eeuwige goedheid predik om de ongeloofwaardigheid ervan aan te tonen, om haar uit de wereld te helpen. Maar dat is voor het doel van geen belang. Zo zal ik het bestaan van mijn moeder en mij rechtvaardigen. Mijn stiefvader en Maarten zijn botter. Zij denken dat ze het kwaad betrapt hebben in mijn moeder, zij zijn waakzaam over dagjesmensen en de groeiende natuur. Ik denk dat ze vergeefs wachten om hun vinger op het verraad van het Goede te mogen leggen. Want de haat, de afkeer, de stank van emoties, de rottende bladeren, de kleinheid van denken, de macht, de tranen, de slimheid, de charme, de wiskunde en de dorre takken zijn allemaal facetten van een systeem dat zo immens en geniaal is, dat het nooit op die manier te betrappen is.

Nee, het Goede, het Mooie prediken, dat is de benadering. De boeren de niet bestaande paradijstuin voor ogen toveren, taartjes van leugens voorzetten. Slechts weinigen zullen me begrijpen. Maar op de spitse toren van mijn kerkje, de toren die naar de hemel wijst, zal een blinkende haan staan, meedraaiend met de wind.

Jan beweert dat ik graag de baas ben en dat dat onbetwist de reden is van mijn vriendschap met Elsa. Elsa zelf krijgt van hem de kwalificatie 'dertig jaar denkloosheid' mee. Hij doet dat soort uitspraken bij voorkeur op het moment dat hij het bedlampje uittrekt, zodat ik me een lange en rusteloze nacht bezig kan houden met het hoe en waarom van mijn daden.

Omdat de slaapkamer aan de tuin grenst, die weer in een eindig aantal andere tuinen overgaat, is de nacht bij ons donker en vol geritsel. Het gevoel onderworpen te zijn aan de tijd, die in het donker bijna stolt, wordt nog versterkt door het rustige ademen van Jan naast me. Ik heb geen keus: ik kan niet slapen en denk aan onze eerste ontmoeting, aan mijn geboorte, aan het zingen van mevrouw Gelijnsen op het balkon van de buren, aan de manier waarop Elsa tegen de zon in kijkt, aan de maand waarin ik jarig ben, aan mijn tennisschoenen.

Jan heeft een baan op het scheikundig laboratorium van de universiteit. Je moet een hele tijd zakken in de hiërarchie van de alma mater om mij aan te treffen op de bibliotheek van een ander instituut. Daar ben ik aangesteld om een stukje van de chaos van het heelal te bedwingen in kaartenbakken. Mijn belangrijkste hulpmiddel daarbij is het alfabet en daar de aard van mijn werk niet zodanig is dat ik mijn salaris rusteloos en voortdurend moet verantwoorden, heb ik alle tijd om me te verwonderen over de eenvoud en kracht van deze uitvinding. De stille schaduwen van de studenten in de bibliotheek storen me nauwelijks in mijn overpeinzingen.

Elsa van Hamelen moet al vele malen langs mijn kaartenbak gekomen zijn voordat ik haar opmerkte. Misschien zou ze na verloop van tijd de bibliotheek uitgewandeld zijn en nooit meer teruggekeerd zijn, terwijl ik haar geen blik waardig gekeurd zou hebben. Maar het toeval van een dichtslaande deur stoort in dezelfde fractie van een seconde onze uiteenlopende gedachtengang en brengt ons ertoe het hoofd op te heffen en de bibliotheek in te kijken, waar het zonlicht juist besloten heeft in Elsa's ogen te vallen. Ik ben bezig met een fiche van een boek van de Argentijn Jorge Luis Borges, getiteld *El aleph* en probeer te bedenken of ik weet wat de aleph betekent, als ik opkijk en Elsa's ogen ontmoet. Haar naam weet ik nog niet, maar een zoeken in de kaartenbak levert die op, plus een pasfoto waar ze niet op lijkt.

In ieder geval slepen haar zeer lichte ogen waar juist de zon in valt mij onmiddellijk dertien jaar terug in de tijd, toen ik mijn eerste verschrikkelijke verliefdheid beleefde en dat was op een vrouw en die vrouw was gymnastieklerares op het lyceum van de Heilige Maagd Maria, waar het lot mij in de eerste klas had gezet. Nu lijkt het of dat jaar in de eerste klas uit één seizoen bestond, de zomer, die het een herfst en winter uithield. Maar misschien is elk seizoen van de eerste verliefdheid de zomer.

Alles was groen, de weiden waren sappig en op werkdagen voeren er langzaam zware boten over de rivier als wij over het smalle weggetje langs het water naar het sportveld fietsten. De spanning van dat weggetje, van het wit met groen geverfde hek waar we door laveerden zonder af te stappen, bereikte zijn hoogtepunt als ik het voorwiel van mijn fiets in de klem duwde en nog niet wilde kijken naar het raam waarachter zij in een van haar talloze boekjes met sportcijfers zat te goochelen. Ik herinner me alles heel precies: haar smalle hand met de trouwring van een mij onbekende man; het blonde haar dat ze kalm achter een oor streek als het lastig werd; de arm die ons het speerwerpen leerde, die arm die de speer richtte en hem losliet zodat hij een boog in de blauwe lucht beschreef, mijn ongedefinieerde verlangens meenemend om trillend in heel de schacht in het gras tot stilstand te komen. Daarna richtte ze haar zeer lichte ogen op ons en bracht me in verwarring, zodat ik de laatste was die een speer te pakken kon krijgen in de kluwen graaiende armen. Maar ik wierp mijn speer geweldig de lucht in en voelde het zingen van de schacht ook in mijn maag en herhaalde bij me zelf dat ik van haar hield, dat ik met mijn speer het einde van de wereld zou bereiken als zij dat van me verlangde en dat ik haar nooit vergeten wilde, nee dat dat niet kon, dat dat onmogelijk was.

Overigens vertoonden de schooljaren op het lyceum de merkwaardige cadans van een Heilige Mis in september en een sportdag op het einde van het jaar. Zo boette ik, knielend achter het object van mijn liefde, alvast bij voorbaat voor de zonden die ik dat komende jaar in gedachten zou begaan door van een vrouw te houden die niet Maria heette en in juli liep ik onder het geschetter van de luid-sprekers over het sportveld afscheid te ne-men van de populieren, de hekken, de kleed-kamers en de voortdurende aanwezigheid van haar blonde hoofd in de zon. Tussen die twee polen in boog ik me in hete klaslokalen over Plato en Augustinus en werd ik heen en weer geslingerd tussen de angst van school gestuurd te worden als iemand er achter zou komen van wie ik hield en de verachting voor een stelsel dat het zingen van Maria-liederen in vochtige donkere kerken stelde boven de spierkracht van de aardse liefde.

Plato en Augustinus: op de laatste sport-dag na het eindexamen legde ik voor de eer-ste en laatste keer mijn hand op haar schou-der om te vragen waar de kastieballen op-geborgen moesten worden. Maar op weg naar huis, langs de warme rivier had ik voor Augustinus gekozen, waar hij in het tiende boek van de *Belijdenissen* schrijft over de vel-den en ruime paleizen van het geheugen, waar de schatkamers zijn met de talloze beel-den van al de dingen, die door de zinnen daar ingebracht zijn, behalve die dingen die men vergeten is. Ik zou haar niet vergeten. Ik borg het allemaal op.

Eigenlijk wilde ik het over de tijd hebben. Jan, die al de jaren dat ik hem ken een hoge score heeft behaald in het gelijk krijgen, Jan beweert dat de tijd maar een uitvinding van ons mensen is om de mateloze verwarring van de chaos te ordenen. Dat het net zo goed mogelijk is dat alles op hetzelfde moment ís, maar dat de enige mogelijkheid waardoor wij iets kunnen begrijpen onze constructie van de tijd is, het na elkaar gebeuren van de dingen. Tijd is interpretatie, zegt Jan en als ik vaardig met een 'maar' kom aanzetten mompelt hij iets over Schopenhauer, die naar ik meen ook iets over vrouwen te zeggen had. Ik moet me niet kwaad maken en roep dat ik boodschappen ga doen.

Tijd is dus interpretatie. Als je dat al kunt dénken is er een mogelijkheid dat het waar is, dat geef ik toe. Maar kan ik tijdvríj denken? Dat is een vraag die me lang bezighoudt.

Ik probeer de tijd terzijde te schuiven op de uren dat ik op de bibliotheek werk, zodat ik nog steeds bezig ben met de titelbeschrijving van *De aleph* van de Argentijn Jorge Luis Borges.

Elsa van Hamelen heeft dezelfde zeer lichte ogen als mijn eerste liefde, wier herinnering diep opgeslagen ligt in mijn geheugen, maar van wie ik vrees stukje bij beetje en haartje voor haartje te vergeten. Twee dikke delen van de *Encyclopedie van de wereld-literatuur* liggen op Elsa's tafeltje. Haar elleboog rust op het eerste deel, zodat ik wel naar haar toe moet om te vragen of ik het even mag inzien op zoek naar informatie over *De aleph*. Alles is een wonder en vooral dat waar de betekenis van verborgen blijft. De aleph is onvindbaar en Jan is er niet om me te vertellen dat ik dan maar het verhaal van de Argentijn Borges moet lezen om er achter te komen. De aleph zweeft door mijn hoofd en krijgt de betekenis van eindeloze tijd, wat hetzelfde is als tijdloosheid en toch denk ik nog aan vroeger en nu en aan alle kronkels daartussen en aan nog meer tegenstellingen en schijntegenstellingen.

Elsa van Hamelen glimlacht als ik haar het deel terugbreng en een schuchter begin maak met de moeizame verovering van de vriendschap.

De vriendschap tussen Elsa en mij duurt al

anderhalf jaar en soms, als ik haar door de stad zie lopen zonder dat ze mij ziet, is ze mij heel dierbaar. Eén keer in de twee, drie weken komt ze bij Jan en mij over de vloer om de recentste ontwikkelingen in haar verhouding met een zekere Leo uit de doeken te doen, waar Jan noch ik iets van begrijpen. Haar leven is een warrige aaneenschakeling van knullige problemen over het onderscheid tussen wat mensen tegen haar gezegd hebben en wat ze daarmee bedoeld hebben. Ze heeft er geen flauw benul van wat ik bedoel met mijn aandacht voor haar, maar wantrouwt me om voor haar zelf onverklaarbare redenen. Daar heeft ze reden genoeg voor, want het enige waarnaar ik bij haar op zoek ben is die bepaalde lichtval in haar ogen, die me misschien kan doen denken dat er geen tijd bestaat, dat wat vroeger gebeurd is ook nu nog plaats heeft en dat dit huis waar ik met Jan leef een prettige droom is waaruit ik zal ontwaken om terug te vinden, waarvan ik vrees dat ik bezig ben het te verliezen.

Lieve lichte Elsa zelf zal hier helemaal

nooit iets van begrijpen. Een keer, op een late regenachtige avond, heb ik eens iets in die trant tegenover haar losgelaten. Toen deed ze een stap terug alsof ze bang voor me was. Op dat zelfde moment echter had ik de deur al opengezwaaid om haar uit te laten. Die deur is open blijven staan en voortdurend wandelt ze daar doorheen weg. En ik zie haar rug en weet dat alles nutteloos is, dat er geen tijd bestaat die je terug kunt halen, dat Borges meer gelijk heeft dan Augustinus, als de eerste spreekt van de erosie der jaren en dat tijd en vergetelheid twee grootheden zijn die ons onbegrip dekken.

Mijn moeder hield vol dat de aarde een afspiegeling is van de hemel, dat wat er zich
op aarde zoal zondig en mistroostig afspeelt,
in de hemel prachtig maar voor ons onvoor-
stelbaar herhaald wordt. Pater Asturion be-
vestigde dat, terwijl hij de laatste bonen op-
at, die eerder die middag voor mij bestemd
geweest waren. Ik hurkte in de deuropening
en wikte en woog tussen het wereldbeeld van
mijn moeder en de volslagen verwarring en
chaos die ik meende waar te nemen om mij
heen, waar niets beantwoordde aan de har-
monie die toch ergens moest bestaan naar
mijn gevoel. Vliegen nestelden zich op mijn
blote knieën en mijn maag rammelde van de
honger. Mijn dozijn halfzusjes huilden en
krijsten in de schaduw van een hoge stapel
autobanden.

Toen ik een paar jaar later doodmoe door
een kameraad afgezet werd aan de rand van
een stad die Haarlem heette en die ik op de

kaart met een rood potlood omcirkeld had, was ik dankbaar genoeg om aan te nemen dat mijn moeder ongelijk had gehad en ik zelf trouwens ook. Vanaf het moment dat ik in Antwerpen afgemonsterd had en in een aan elkaar geplakte Volkswagen van een vriend van een vriend naar het noorden gehobbeld was, had ik mij afgesloten van alles wat er om mij heen te zien was geweest. De taal die mijn reisgenoot sprak verstond ik niet, mijn oogleden waren loodzwaar door een tekort aan slaap en een landschap dat vlak en druilerig leek schoof nauwelijks opgemerkt aan mij voorbij. Wat was er voor verschil tussen de grauwe zee van de laatste weken en de vlakte buiten de Volkswagen? Ik wilde het niet weten en doezelde weg. Toen ik ten slotte de vriend van een vriend met een joviale handgroet zag wegknallen, vond ik me zelf terug onder een blauwe hemel waar witte wolken langsjoegen, in een lange bomenrijke laan met aan weerszijden huizen, fris geverfd, ordelijk geplaatst, nieuw, met kleine stukjes grond erbij, rozen

34

langs de deurposten, zo ver als ik keek: nieuwe huizen en bloemen, Jezus Maria wat prachtig. Op het schip waarmee ik overgestoken was, zat er altijd roest aan mijn handen en een geur van olie in mijn neus. De manschappen rookten stinkende tabak en verwisselden één keer per maand hun kleren. Niet dat dat me iets deed, want het land van Gods hand dat ik de rug had toegekeerd, kon de kampioen onder de smerige landen genoemd worden. Maar je zelf aantreffen in een straat waar de zomer koel op je nek en schouders valt, dat is geen kleinigheid. En het was geen decor: achter die laan kwamen weer zulke lanen, die weer op dergelijke lanen uitkwamen. Ik bracht de middag in een park door, kijkend naar de moeders met hun blonde kinderen, naar de glanzende levendige honden die achter waaiend gras aanzaten en naar een stel sigaretten rokende jongemannen aan de voet van een standbeeld. 's Avonds nam ik mijn intrek in een hotel aan een groot plein waar klokken luidden en mensen zacht pratend op terrassen zaten.

Ik sliep in met het besef dat ik óf verliefd was op wat ik gezien had, óf in het paradijs terecht was gekomen. De volgende dag zou ik aan het laatste deel van mijn speurtocht beginnen. Dat het paradijs op aarde bereikbaar zou blijken, stond voor mij vast.

Intussen ben ik er wel achter gekomen, dat als de hemel van goud is de aarde een modderige poel is, maar ook dat dat omgekeerd het geval zal zijn. Wat erger is, is niet te zeggen. Want nu is het een koude januari en Jonathan is nu veertien maanden weg en had beloofd in september terug te zijn. Mijn atelier is weer op orde. Sedert een klein halfjaar ben ik weer aan het werk en de voorbereidingen voor een tentoonstelling in het voorjaar beginnen meer tijd op te eisen. Barbara, die mijn werk in Amsterdam geïntroduceerd heeft en daar de vrijheid aan lijkt te ontlenen om de verkeerde dingen tegen me te zeggen, praat over mijn periode voor Jonathan en mijn periode na Jonathan alsof ze het over de tijd voor en na Christus heeft. De regen van dit kneuterland slaat tegen de ramen van mijn atelier en onder mijn handen ontstaan de doeken die zoveel opzien baren. Ik schilder als een God, maar het zweet staat op mijn voorhoofd als ik eraan denk hoe ik Jonathan mis. God heeft hemel en aarde geschapen en als je behoort tot de gemeenschap der heiligen, heb je het uitzicht op het zondig leven van de wachtenden, maar vanuit de rotzooi kun je je bezighouden met het wonderlijke onkenbare panorama waar mijn moeder de kracht uit putte om te baren en te vloeken en pater Asturion te eten te geven. Mijn reis van Brazilië naar Nederland, mijn voortdurende reis van aarde naar hemel en retour, blijkt niets anders te zijn dan de eindeloze doortocht door een labyrint, dat ik als jongen al dacht te herkennen in het patroon in het rode stof onder mijn voeten, in de geborduurde ranken op het kazuifel van pater Asturion, in de aderen op mijn moeders hand.

Hoe argeloos was ik nog in het begin, toen ik bij aankomst in Haarlem verliefd werd op de koelte van de zomer, op de ordelijke lijn van de lanen, de zachte stemmen van de mensen, de bloei van de rozen en de blanke charme van de Koedooders, met wie ik eindelijk het voorrecht kon delen hun naam te dragen.

Sommige van de Koedooders zijn verdwenen in de plantages op het zuidelijk halfrond van Amerika. Anderen zijn roemvol gestorven in de hiërarchie van de rooms-katholieke Kerk. Op de vergeelde foto's staan de twee zusjes Koedooder die elkaar zelfs in het gekkenhuis niet uit het oog verloren. Maar dat alleen kan niet genoeg zijn om een zo krachtig geslacht ten onder te laten gaan. Zo snel kan niemand plezier beleven aan zijn vijanden. De meeste Koedooders immers hadden tot aan hun dood succes gehad, posities bekleed, macht uitgeoefend. Alleen die ene verre overgrootvader die op de ladder naar de hemel was blijven steken in het vak van machinist op grote lijnen, zwart als de duivel en rechtlijnig denkend als de rails voor zijn ogen, werd doodgezwegen. Al als klein jongetje heb ik geweten dat ik eens de kans moest waarnemen om te profiteren van het feit dat ik de naam Koedooder droeg, of om dat feit te wreken. De man, van wie mijn moeder mij verzekerde dat hij mijn vader was, leefde op het grote witte huis van de plantage als een wereldvreemde zure man, die zich zelf zijn enige creatieve daad, het mij verwekken in zijn eerste en laatste opwelling van hartstocht, tot aan zijn dood toe kwalijk nam. Hij heeft mij nooit willen erkennen en als ik op zijn erf speelde tussen de daar opgeslagen vaten en balen liet hij mij door zijn opzichter wegjagen. Pas toen hij eenzaam en rancuneus gestorven was, liet hij mij bij testament weten dat ik zijn zoon was. Maar de plantage was een failliete boel en het weinige geld dat overbleef na afbetaling van de schulden die zich in de loop van jaren opgestapeld hadden, moest ik onder dreiging van hel en verdoemenis van de kant van pater Asturion afstaan aan mijn moeder, die er onmiddellijk de meest onwaarschijnlijke en nutteloze zaken voor mijn dozijn krijsende halfzusjes voor kocht. Ik had het verder wel gezien en

nam de wijk naar São Paulo. In een zeemans-
kroeg stal ik een boek *The American seaman*
van een Duitse varensgast, verkocht het voor
3000 cruzeiro's aan een Amerikaanse toerist
en leefde daarvan, tot ik de kans kreeg aan
te monsteren op een boot die Antwerpen aan
zou doen. Want dat was de enige erfenis die
ik uit de papieren van mijn vader wist te be-
machtigen, de wetenschap dat er ergens op
de wijde wereld, in een plaats die Haarlem
heette, nog een jongere broer moest leven,
die niet in de kerk was ingetreden en zelfs
goddomme een fortuinlijk leven leidde.
Daarheen ging mijn weg. Ze zouden hun tol
moeten betalen aan hun naam.

Zo stond ik dan op een zomeravond tegenover een ouderwets wit huis met een tuin
eromheen, aan de rand van Haarlem. Lamplicht scheen vredig uit de ramen beneden en
uit een venstertje in het dak. Binnen in het
huis liepen mensen rond, bezig met dingen
waar ik geen vermoeden van had. Tegen de
muur van het huis leunden fietsen en tennis-
rackets, een grassproeier spoot gestadig wa-

ter over het grasveld en iemand in huis speelde op een piano. Vier avonden stond ik voor het huis. Toen had ik genoeg verlangen en durf opgedaan. De bel tinkelde als van goud door het huis. De Koedooders plantten me op een stoel en hoorden mijn relaas aan, dat ik doorspekte met liefde voor mijn moeder en respect voor mijn vader, waar in feite slechts van verachting, respectievelijk haat sprake was geweest. Het geweten wil ook wat.

Het was onmogelijk voor ze om me na mijn verhaal de deur uit te zetten. Ik kreeg een kamer toegewezen en een eigen kast voor de kleren die ik nog niet bezat. Aan de binnenkant van de kastdeur hing een levensgrote spiegel, waar ik elke dag kon zien dat ik niet blond was als de andere Koedooders. Om die kamer te behouden haalde ik alle charme en tact waar ik over beschikte van stal. Ik zweeg aan tafel, probeerde Nederlands te leren, zorgde dat ik niet te veel gezien werd, vertelde soms een sterk verhaal over een slachthuis in Brazilië, over scheurbuik op de boot, over matrozen en vecht-partijen. Alles deed ik om in de buurt te kun-nen blijven van de mensen op wie mijn eerste verliefdheid gericht was: de blonde Koe-dooders, gevierd, sportief en bekwaam in alles wat ze ter hand namen. Niets is zo de-finitief als de eerste liefde die wordt afge-wezen. Niet precies aantoonbaar, maar over-duidelijk als men eenmaal kleine dingen met elkaar in verband had gebracht, wezen ze mij terug naar de plaats die ik altijd inge-nomen had: erbij te horen, maar niet erkend te worden. Hun grappen in een taal die ik niet volledig beheerste waren te snel voor mij; hun service bij het tennisspel dodelijk; het wenkbrauwenspel van moeder Koedoo-der begeleidde sceptisch al mijn doen en la-ten. Mijn taal hield een accent, mijn manie-ren hoorden bij de matrozen, mijn haar had luis gekend. Ik had wel mijn omstandighe-den veranderd, maar niet mijn lot.

Eén uitzondering moet gemaakt worden. Op de avond dat ik aanbelde bij de Koe-dooders en binnengelaten werd in de kring van het lamplicht, stond boven aan de trap een blond jongetje in pyjama, dat met grote ogen naar mij keek. Alleen op de jongste Koedooder, uit zijn dromen over zeerovers en matrozen gehaald, heb ik indruk gemaakt.

Ik kon niet blijven teren op het geld en de sociale positie van mensen die met lede ogen ook mij hun naam zagen dragen. Maar wat kon ik? Mijn opvoeding was gedegen katholiek geweest, maar mijn opleiding was onvoldoende. Ik had kunnen lossen en laden, maar het enige wat er door mijn oom Koedooder gelost werd, was soms een gewichtig papier in de prullenbak en mijn tante loosde slechts zo nu en dan een zucht bij de thee. De patronen en labyrinten van mijn jeugd bleven terugkomen in mijn dromen en steeds meer herkende ik ze ook overdag in de val van de gordijnen, in de snorharen van mijn oom, in de vorm van de oren van de jongste Koedooder. Ik begon te tekenen en te schilderen. Het huis zouden ze me niet uitkrijgen. Iets waren ze verplicht aan hun naam.

Na jaren ten slotte liep ik tegen een galeriehoudster in Amsterdam op, die iets zag in de vorm van mijn ogen en de kleur van mijn huid en dus in mijn schilderijen. Tijdens de twee maanden afwezigheid van alle Koedooders, die naar een huis aan het Lago Maggiore vluchtten om een tijdje van mij verlost te zijn, had ik een kortstondige verhouding met haar, verziekt door hevige jaloezieën en fantasieën van haar kant. Het liep erop uit dat ik haar brullend van ellende het huis uitzette. Maar mijn roem had zich aangekondigd. De Koedooders, die zelf hoogstens de plaatselijke krant haalden, zwegen de recensies van mijn eerste tentoonstelling dood. Alleen bij de uitreiking van de prijs van Amsterdam, een jaar later ongeveer, kwamen ze opdagen om deel te hebben aan de aanwezigheid van de belangrijke personen die onvermijdelijk bij een dergelijke gelegenheid aanwezig zijn.

Soms denk je dat het labyrint een middelpunt heeft, waar het zoeken ophoudt en het antwoord gevonden wordt.

Drie van de vier kinderen Koedooder togen huiswaarts in de oude auto van de middelste zoon. Hoe het ongeluk precies in zijn werk is gegaan is onduidelijk. Misschien hadden ze iets te overvloedig gedronken van de sherry die geschonken werd, wie weet heeft er iets gehaperd aan de auto, midden op een niet met slagbomen bewaakte overweg. Of is het zo dat de doodgezwegen grootvader, rondzwervend totdat zijn bestaan erkend zou worden, probeerde zijn rust op te eisen? Vast staat dat de locomotief van de stipte trein de drie kinderen Koedooder op slag doodde.

Op de een of andere manier legde mijn tante de schuld bij mij. Ze kon niets aantonen, maar dat was voor haar geen belemmering om te geloven dat haar intuïtieve zekerheid van het begin, dat ik een slechte invloed had op haar kinderen en niet bij de Koedooders hoorde, bewezen was. Ze weigerde nog langer te geloven dat ik recht had op de familienaam en zette me het huis uit. Ik stond op straat. Zíj laat zich nu elke dag door een taxi naar de kathedrale basiliek van Haarlem brengen om daar kaarsen op te steken en te bidden tot de gemeenschap der heiligen, dat ook zij eens in hun midden zal worden opgenomen. Alleen de jongste zoon Koedooder, die boven aan de trap had gestaan bij mijn aankomst, trok definitief mijn partij. Toen Jonathan zijn eindexamen had gedaan, trok hij bij mij in en begon hij aan zijn studie van de klassieken. We leefden in een lichte woning aan de rand van Amsterdam. We waren gelukkig.

Er is geen enkele reden om aan te nemen dat ik goed werk lever als ik ongelukkig ben of omgekeerd. Het enige feit ligt op tafel dat ik de twee jaren dat Jonathan bij mij was niet geschilderd heb. Ik had geen tijd om me bezig te houden met de patronen om mij heen. Er was alleen Jonathan met zijn platte buik, zijn stalen brilletje, zijn adonisfiguur gebogen over de boeken, zijn slordigheid.

Natuurlijk zijn wij allemaal zondig. Maar waarom zou je het liefste wat je bezit af moeten staan om later te kunnen delen in de heerlijkheid van de hemel? Toen ik nog nooit toegekomen was aan enig plezier of rijkdom voorspelde pater Asturion mij de hemel. Toen ik afgewezen werd in mijn liefde voor alle Koedooders tegelijk, kon ik toekomen aan het schilderen van mijn labyrinten. Nu Jonathan vertrokken is naar Zuid-Amerika juichen de kranten over de vernieuwing in mijn werk. Jonathan was niet tegen te houden. Al zijn verlangen en mijn centen werden in die reis gestoken. Hij is nu vier maanden te laat terug. Ik koester geen hoop hem ooit weer te zien. Er bestaan geen hier en hiernamaals die elkaars afspiegeling zijn. Of het moest zijn dat Jonathan in het paradijs zit en ik mijn reis naar de overzijde, toen ik mijn moeder verliet, in omgekeerde volgorde over moet maken. Maar ik zal nooit ergens aankomen. Want er bestaat geen dualiteit waar je het een moet laten om het ander te bereiken. Heel ons leven is toch meer de oppervlakkige chaos van een labyrint, waar Jonathan een ingang is binnengelopen en ik een andere, waar ik een korte

tijd ben tegengekomen wat eeuwig had moeten zijn, en waarvan ik weet dat de kans af-
wezig is dat iets je er twee keer toevalt.

De wereld is eerst groter geworden, toen ver-
kleind tot de proporties van de keuken en
provisiekamers die ik zo goed ken. En ik
heb niets kunnen tegenhouden.

Nog steeds worden de eieren op tijd ge-
bakken, de bedden opgemaakt en de lichten
na enen gedoofd. Het personeel draaft nog
tien uur per dag en weet nog wat ik wil. De
gasten blijven elk jaar komen en vragen naar
me. Maar ik ken ze niet meer en laat hen
niet toe tot de keuken. Ik ken hun speurende
blik die het verval ziet, ook daar waar het
niet is. Laat hen maar boven blijven en de
bergen intrekken met hun kinderen. Zonlicht genoeg voor hen, groene bossen genoeg.
Ik heb een scepter te zwaaien. Ik moet kritiek hebben op vuile schorten, op niet ge-
wreven borden, op te volle juskommen.

Maar de vraag is hoe lang ik het nog kan
volhouden voordat ze merken dat ik niet
meer zie waar de lepels liggen, of dat er ge-

49

knoeid wordt op de servetten of dat er appelschillen liggen op de keukenvloer.

En boven loopt Jürgen rond. Een beetje verlaten sinds hij de drank heeft afgezworen, een beetje verlegen om mij. Veel zie ik hem niet hier beneden. Wat zoekt hij ook hier. Laat hij zich om de rekeningen bekommeren. Dan doet hij tenminste ook eindelijk iets om de zaak drijvend te houden.

Vroeger deed ik de rekeningen zelf. Maar vroeger liep ik ook nog trappen en toen was de verf boven nog licht van kleur. Ik durf geen schilder te laten komen, want ik kan de kleur niet meer uitzoeken. Als ik de jaren tel, moet de witte verf die erop gekomen is toen Hans het huis uit ging, nu wel die groezelige bruine kleur hebben die je bij slechte hotels aantreft. Ze vertellen het me niet, want ze weten niet dat ik het niet meer zie. Maar ik zie alles nog, ook wat er gebeurd is.

Toen ik klein was en Riemersdorf nog even klein was als ik, wees mijn moeder tijdens een wandeling met een lange arm naar het dal beneden. Daar stond een rood bakstenen huis met een dak van alleen maar houten spanten. Op het dak waaide een vlag en het geklop van de hamers drong door tot waar wij stonden.

Dat was Königshof, zei mijn moeder met een knik naar beneden en ze ratelde door over wie de eigenaar was en wie de bouwer en hoeveel geld erin gestoken was en dat er stromend water was. Al die dingen hoorde ik niet, want ik luisterde naar het geklop van de hamers en keek naar de mannen die daar zo vrolijk rondliepen en een vlag op het dak hadden geplaatst. Een paar maanden later was het feest in het dorp omdat Königshof openging. Bij de bakker kon je gratis kaneelstokken krijgen en 's avonds gingen mijn vader en moeder met de buren naar beneden om vrij te drinken in het rood bakstenen huis. De volgende dag stond er een groep kermisklanten op de wei buiten het dorp, te laat aangetrokken door het feestgedruis van de vorige dag. Het was zondag en het hele dorp lag plat van de avond daarvoor. Niettemin werden er pamfletten uitgedeeld in de dorpsstraat, met de mededeling dat er die middag een verloting van een ponypaardje plaats zou vinden, komt allen, komt allen. Van mijn moeder, die met een zwaar hoofd door het huis liep, kreeg ik het geld voor een lot los. Ik zal een uur of twee over het hek van de wei buiten het dorp geleund hebben, kijkend naar het geschuifel van de kermisklanten. Het ponypaardje draafde speciaal voor mij met dansende manen heen en weer. Naast mij leunde een oude man over het hek die ik niet kende. Verder kwam er niemand opdagen. Het lot in mijn hand werd vochtig.

Om vier uur, toen ik wist dat het ponypaardje van mij was, werd tegen de man naast mij gezegd dat de verloting niet doorging wegens gebrek aan belangstelling. Toen ik uitgehuild was en mijn natte gezicht ophief uit het gras, keek ik naar Königshof beneden. Er hield juist een rijtuig stil en een elegante dame met een grote hoed werd geholpen bij het uitstappen. Ze keek eerst naar Königshof en boog zich toen sierlijk wat achterover om naar boven, naar het dorp te kijken. Ze kan me niet gezien hebben, maar ik zag háár wel, ik zag Königshof wel.

Toen ik met Jürgen trouwde was de nieuwe weg in aanbouw. De eerste gasten liepen de modder binnen over de vloerkleden en strooiden zand in de bedden. De weinige uren dat we sliepen werden we uit de slaap gehouden door het geronk van de machines die ook 's nachts bleven draaien. De vader van Jürgen deelde mijn mening, de goede tijd voor Königshof zou nog komen. Het was alleen Jürgen die heimwee had naar de rijtuigen en weinige auto's over de vroegere keienweg. Maar wat kon mij die keienweg schelen? De nieuwe weg strekte zich links en rechts kaarsrecht uit en ik plantte een vlag voor het hotel en liet boven in het dorp kaneelstokken uitdelen en ontving de eerste gasten met bloemen en gratis wijn aan tafel. Wat een wijn we daar nog gedronken hebben! Misschien drinken ze nu andere wijn in mooiere flessen. Ik weet het niet meer want sinds '46 heb ik geen druppel alcohol meer aangeraakt. Maar de wijn die ik toen schonk zat in eenvoudige flessen en kwam uit de wijnbergen die je vanuit de eetzaal kunt zien en wat voor fratsen ze tegenwoordig met die flessen uithalen weet ik niet en misschien hebben ze zelfs de wijnbergen met de grond gelijk gemaakt. Maar wat we toen schonken, dat was voor kenners en wat hebben we niet een vrolijke avonden boven meegemaakt, Jürgen en ik. Zelfs toen Anton en Annemarie al geboren waren zaten we nog tot 's avonds laat bij de gasten. En een verhalen dat je daar hoorde! Soms was het me alsof niet alleen ik, maar heel ons land op zijn kop stond. Om zoiets hoef je tegenwoordig niet meer te komen.

De tijd daarna was minder vrolijk. Jürgen ging voor een tijd weg en ik zat met twee kinderen en een hotel zonder gasten. Het personeel moest ik ontslaan. De kinderen bouwden tenten op de onbeslapen bedden. Ik hield alles schoon, geen spinneweb in de hoeken ontging mijn oog. De weinige gasten bood ik een comfort als voor koningen.

Soms kwamen er hele groepen soldaten. Die wees ik de deur want een vrouw alleen kan niet voor alles opdraaien.

Jürgens thuiskomst was een mislukking. Voor de derde maal wapperde er een vlag op Königshof om een nieuw tijdperk in te luiden. De zon scheen op de bergen en op het dorp boven. De weg waarover Jürgen thuis zou komen lag recht en glad. Zo nu en dan denderde er een wagen met soldaten langs die niet terugzwaaiden naar Anton en Annemarie. Ten slotte hield er een halve seconde een wagen voor ons stil en Jürgen tuimelde zonder bagage naar buiten. Hij stonk naar urine en drank. Die avond stond het dorp voor de deur om hem te verwelkomen en gratis te drinken. De hele voorraad die ik de oorlog door behoed had werd onder mijn ogen uit de kelders gesleept. Er werd om kaneelstokken geroepen. Jürgen ging rond en lachte, lachte de hele avond zonder ophouden, alsof het hem in zijn hoofd geslagen was. Hij nodigde het hele dorp uit om blijvend zijn intrek te nemen in het hotel. Minstens de helft gaf gehoor aan zijn uitnodiging en de volgende morgen moest ik een half dozijn dorpelingen het hotel uitkwakken en de zwijnerij die ze gemaakt hadden opruimen. Jürgen lag in zijn bed met een kater en kwam om vier uur beneden om de laatste fles leeg te drinken.

Ach ja, Jürgen. Ik heb het niet bijgehouden hoeveel hij dronk, maar wel heb ik talloze malen aan zijn bed staan smeken om ermee op te houden. Alsof je een kind spinazie voert: doe het voor mij Jürgen, doe het voor mammie. En intussen begonnen de gasten weer te komen en moest ik kamermeisjes aannemen en kamermeisjes ontslaan en met mijn vinger over de vensterbank strijken om te weten of er gestoft was. Bij die kamermeisjes waren van die krengen die dachten dat ze achter mijn rug meewarige gezichten moesten trekken en we hadden kerels die dachten dat ze mij een grote bek moesten geven, omdat ze wisten dat de baas dronken was.

Maar toen ik na een halfjaar doorhad dat

ik met een lapzwans getrouwd was, heb ik er hard aan getrokken om ze eronder te krijgen. Je kunt toch niet bij de pakken neer gaan zitten. Je kunt toch niet over je laten lopen, dan maken ze binnen de kortste keren van Königshof een zwijnestal. Ik weet hoe het gaat. Het begint met gegiechel van kamermeisjes op de gangen en het eindigt met familiaar doen tegen de gasten.

Bovendien, Anton en Annemarie gingen naar school en maakten reisjes en moesten op sportverenigingen en kregen muzieklessen. Niet dat die opvoeding wat geholpen heeft, want van een bedrijf runnen hebben ze geen kaas gegeten. Maar al die dingen moesten toch maar bekostigd worden en dat kwam toch allemaal mooi op mijn schouders neer.

Er waren weken dat ik drie uur per nacht sliep. Dan moest Jürgen me niet nog eens lastig komen vallen. Ik richtte een kamer voor hem in aan het eind van de gang, waarvan de ramen uitkeken op de wijnbergen en niet op de weg. Daar kon hij drinken voor mijn part, en dat deed hij ook. Als hij niet dronk, had hij zo'n verschrikkelijk berouw dat hij mij zo zag draven, dat hij uit pure ellende maar weer begon. Een geluk was nog, dat hij een vrolijke dronk had, want huilbuien hadden bij mij de emmer doen overlopen.

Langzamerhand lukte het me. Het personeel wist wie de baas was en wat het te doen had; leveranciers kwamen op tijd; rancunes en jaloezieën werden achter gesloten deuren afgehandeld en de gasten aten hun biefstuk zonder te weten dat de tranen van het keukenmeisje in de saus gedrupt waren.

Ik had geen tijd voor tranen. Huilen is zelfmedelijden wat nog geen mens uit de problemen heeft gehaald. Als je er alleen voor staat zoals ik en er is geen schouder om op te rusten, ga je wel door, ben je wel gezond en sterk. Wie zou Königshof klein krijgen? Königshof draaide. De gasten bleven komen en prezen het hotel om zijn ligging, om zijn bedden, om zijn rust. Weten zij er ook maar iets van hoeveel gezwollen voeten en pijnlijke ruggen hun rust kost?

Soms worden er mensen geboren die speciaal aan de wereld geleverd worden om geteisterd te worden. We hebben hier een meisje gehad dat in verwachting raakte, aan de kant gezet werd, abortus pleegde en daarvoor in de gevangenis terechtkwam. Het arme kind kwam totaal verbijsterd hier weer terug om drie dagen lang alle borden uit haar handen te laten vallen, voordat ik haar ontsloeg.

Ik was op alle soorten rampen voorbereid die over het hotel zouden kunnen komen. Maar ik was niet bedacht op mijn zwakte, mijn liefde, en toen ik ontdekte in verwachting te zijn, dacht ik dat ik alles maar moest opgeven. Het personeel begon opnieuw te gniffelen, in het dorp boven maakte men grappen over kaneelstokken en in ernstiger kringen sprak men er schande van. Ik was te oud. Jürgen te dronken. De dokter, die zijn graad nooit had mogen krijgen, schreef me volstrekte rust voor. Jawel, rust in het hoogseizoen. Ik had net zo goed de boel meteen kunnen verpatsen aan een regeringsstichting. Dan hadden er nu bejaarden in gezeten en ik er middenin, mummelend op een stoel.

Nee, ik moest doorwerken en dat kind in me trap op trap af zeulen en mocht m'n rug niet voelen. De enige manier om geen miskraam te krijgen was tegen het kind praten. Het zou een mooi kind worden, recht van lijf en leden en sterk. Zo sterk dat hij vanaf zijn vroegste jaren op zou staan om zijn moeder te beschermen, de koppen van het personeel en de dorpelingen tegen mekaar te kwakken en zijn vader te haten. Naast zijn moeder, samen met zijn moeder die voor hem zwoegde. Het wás een prachtkind. De dokter wilde maar niet begrijpen waarom ik geen mismaakt ventje ter wereld had gebracht en geloofde bijna in zwarte kunst. Jürgen was twee dagen nuchter en stond alsmaar boven de wieg berouw te hebben, totdat ik hem ten slotte de kamer uit moest zetten. Het personeel bracht een hulde met het schaamrood op de kaken.

Mijn lichaamsgewicht nam na zijn geboorte nauwelijks af. Het leek wel alsof ik hem nog altijd in me droeg. Mijn benen werden twee dikke pijnlijke boomstammen en die dokter maar niet weten wat er aan de hand was. Maar Hans was een wonder. Hij veroverde beneden het personeel en boven de gasten. Hij liep met zijn dikke kontje trap op trap af, zonder pijn. Toen hij wat groter was geworden liet ik hem met een gerust hart alleen boven. Daar was altijd wel iemand die zich over hem ontfermde. Ik liep niet graag de trap meer op. Van beneden kon ik alles het beste regelen. Alleen 's avonds hees ik me de trap op om Hans onder te stoppen en zelf te gaan slapen.

Nu Hans weg is en mijn ene oog ook niets meer ziet, heeft het geen zin meer om naar boven te gaan. Ik heb mijn bed naar beneden laten halen en blijf ook liever hier op mijn stoel, in de keuken zitten. Want ik moet luisteren. Uit wat ik hoor kan ik afleiden wat er gebeurt. Alles draait nog. Ik hoor de cadans van het hotel dat leeft boven mijn hoofd.

Hans had ik lief. Hij groeide zo sterk en mooi op. Hij wreef 's avonds mijn pijnlijke benen en stelde me gerust over mijn ogen. Maar vanaf zijn kleuterjaren was hij liever boven dan beneden. Geen wonder, dáár is het uitzicht op de bergen en de weg, boven is het licht en hij heeft nooit gehouden van de geur van de keuken en de provisiekamers, waar het eigenlijke hotel op drijft en die ik ruiken moet om nog te weten dat het hotel draait. Mij storen de TL-buizen niet.

Hans heeft zich nooit aan zijn belofte om zijn vader te haten gehouden. Vaak genoeg heb ik Jürgen betrapt als hij Hans voorlas, of boten voor hem bouwde, of zijn oren schoonmaakte. En nooit heeft Hans één smalend woord laten horen over Jürgens dronkenschap. Integendeel, zelfs het personeel vergat langzamerhand erop te reageren. Toen Hans vijftien was, dronk Jürgen zich nog maar één keer in de maand laveloos. En nu is hij er helemaal vanaf.

Je begrijpt alleen niet waarom zo'n jongen is weggegaan. Ook Anton en Annemarie wonen in flats waar geen muis in past, dat weet ik wel. Maar had Hans hier niet een hele hofhouding om hem op zijn wenken te bedienen? Waren het personeel en de gasten niet dol op hem? Wat zoekt hij toch elders? De boel was juist geverfd en de nieuwe verf rook naar een nieuw begin toen hij wegtrok. Zelfs die geur kon hem niet tegenhouden.

Ik ben beneden gebleven nu Hans weg is. Jürgen loopt boven verlegen en nuchter rond. Ik hoor de aankomende en vertrekkende gasten boven mijn hoofd en tel hun aantal. Ik ruik de menu's, het zweet van de koks, de crème van de schoensmeer, de kurken van de wijn. Niets wijst erop dat het minder goed gaat boven, al moet de verf die erop kwam toen Hans wegging, nu wel verkleurd zijn.

Maar ik ruik ook iets anders. Ik kan niet precies zeggen wat het is, al hangt het vierentwintig uur van de dag om me heen. Misschien is het de geur van mijn groot zwaar lichaam, dat hier in het zwart gehuld in de stoel zit en nauwelijks nog verplaatst kan worden naar het bed. Zo'n groot zwaar lichaam, daar moet een wereld in huizen, dat bestaat niet voor niets. Daar krioelt een wereld in met herinneringen en beelden en geluiden en geuren.

Dat is het wat voortdurend om me heen hangt, die geur die van het hotel is en van dit lichaam, een beetje zoet, een beetje rot, alsof de ontbinding niet lang meer op zich laat wachten.

Het zal niet zo erg lang meer duren, dat kan iedereen zien. Maar nu draait alles nog boven mijn hoofd. Iedereen doet nog wat ik wil en weet niet dat ik nauwelijks nog zie, maar des te sterker ruik. De vuren van de ovens in de keuken proberen de geur te verdrijven. Maar als ik hem binnenkort niet meer ruik dan zal ook Königshof verdwenen zijn van de wereld en dan zal niemand nog kunnen bedenken hoe iemand eens dacht een rood bakstenen gebouw te zien liggen in een dal beneden, met die vlag op het dak.

Juist in tegenstelling tot wat Rodin beweert is het denken niet iets dat alleen door fysiek zéér krachtige mannen, ongemakkelijk gezeten op een knoestige boomstronk, verricht kan worden, maar is het een luchtige bijna speelse handeling, die maar twee omstandigheden behoeft: betrekkelijke eenzaamheid en comfort.

Zo hebben de stoelen in huis zich langzamerhand aangepast aan mijn stijgende graad van luxe. Sinds enige tijd bevindt zich onder de verzameling een exemplaar dat zich zo perfect aan de stemmingen van mijn lichaam aanpast, dat ik denk dat er in armleuningen, rug en zitvlak een man gekluisterd zit, wiens enige taak het is mij op zijn schoot te koesteren. Dat is natuurlijk een metafoor voor de complimenten die ik de ontwerpers wil toezwaaien, even grote kenners van het menselijk lichaam als Rodin, maar gezegend met minder wijde aspiraties.

In deze dierbare stoel speelt zich een groot deel van mijn leven af: de krant lezen in deze stoel is anders dan telefoneren in deze stoel; een discussie verliezen anders dan een discussie winnen; koffie drinken in deze stoel niet te vergelijken met lamlendig neerliggen in deze stoel. Ook dat lukt je allemaal overigens niet op een boomstronk.

Een jaar geleden kwam Jacobus mij en mijn stoel laat op de avond gezelschap houden om me, na wat inleidende gesprekken, verwijten te maken over de mate waarin ik me terugtrok uit wat hij noemde het openbare leven. Na enig doorzeuren bleken die verwijten afgeleid te zijn van een opmerking van Frank, die bij Jacobus geklaagd had dat hij me nooit meer zag. Nu is dat meer te wijten aan Frank dan aan mij, want die leidt een springerig soort leven, waar zelfs een vlo vermoeid van zou raken.

Maar Frank is iemand die op mijn stoel zou mogen zitten als hij langskwam. We hebben samen om vier uur in de ochtend langs het IJ gelopen om de zon te zien op-

gaan over de schepen; we hebben mijn tele-
foon illegaal verplaatst naar een ander ge-
deelte van het huis toen ik verhuisde; ik heb
hem koffie gebracht toen hij als nachtportier
werkte in het tehuis voor ongehuwde moeders bij mij in de buurt en we hebben samen
*La notte* gezien van Michelangelo Antonio-
ni. Daarom besloot ik na het vertrek van
Jacobus die ouwe Frank maar eens op te
bellen en naar zijn reilen en zeilen te infor-
meren. Hij was vrij dronken toen ik hem aan
de lijn kreeg en dus uiterst beminnelijk en
in de kamer achter hem waren mensen waarschijnlijk bezig met het vernielen van het
servies. Boven het lawaai uit wist hij me
toch nog duidelijk te maken, dat hij het allemaal niet meer zag zitten, of het juist allemaal weer wel zag zitten en daarom voor
een tijd naar Amerika vertrok. Hij had nog
langs willen komen, of zou nog langskomen,
of was al langs geweest en wat kreeg hij
voor afscheidscadeau van me? Ik moest
maar bedenken wat hij wilde hebben.
    'Alle Kuifjesboeken,' zei ik.

'Ja,' zei hij, 'goed. En wat nog meer?'

'Een vuurrode schrijfmachine,' zei ik.

En wat nog meer?

'Een avond dronkenschap zonder kater,' zei ik.

En wat nog meer?

'Alle delen van *A la recherche du temps perdu* in leer gebonden,' zei ik, 'de twee delen van Van Dales woordenboek,' zei ik, 'een woning met balkon op de Place des Vosges te Parijs,' zei ik, 'een dag uit je middelbare schooltijd,' zei ik, 'een onvervulbare liefde,' zei ik, 'een krukje van hout,' zei ik, 'twaalf lambswoolen truien met bijpassende sokken,' zei ik...

'Dat is tien,' zei Frank en werd zeer ernstig.

Een paar weken later reed ik hem in een geleende auto naar Schiphol en toen ik hem slordig bepakt tussen de mensen zag verdwijnen, besefte ik dat hij me voorlopig nooit meer op het eindpunt van lijn drie zou zetten.

Sindsdien is er al meer dan een jaar ver-

streken en gisteren zakte ik, smerig vermoeid van een dag werken, in mijn stoel
om de post door te kijken. Er was een lucht-
postbrief van Frank bij, de 22ste verstuurd
uit Haileybury, Northern Ontario, Canada.
Ik geef hem hier in zijn geheel weer:

Lieve D., eindelijk dan ben ik in staat je te
schrijven hoe het met me gaat, en wat ik allemaal doe. Je zult wel verbaasd zijn dat ik
niet meer in de States zit. Tot voor een
maand ben ik daar inderdaad geweest, maar,
lieve zuster Ursula, dat was ook niet alles.
Ik ben kris kras door dat enorme land van
vriend naar vijand gereisd en heb heus zinnig
werk verzet, tot het verlossende besef kwam
dat dat waanzinnig is en dat ik mijn tijd beter kan gebruiken. De waarheid achter dit
alles, m'n beste Watson, is dat ik moe ben,
erg moe. Ik heb een huisje gevonden hier in
Haileybury, waar de sneeuw al zo hoog ge-
vallen is dat ik al vele uren bezig geweest ben
met sneeuwruimen. Maar ze beloven hier
dat de korte zomers warm en droog zijn.

Het stadje ligt aan het Lake Tamiskaming, dat over een paar dagen geheel bevroren zal zijn, zodat ik lopend over zou kunnen steken naar Quebec. Een paar dagen geleden trok ik het land door met een paar vrienden en ik hoorde voor het eerst van m'n leven het eenzame gehuil van een pak wolven, wat me zeer ontroerde. We dragen hier bontjassen en -laarzen en binnenshuis heb ik de truien en sokken die je me cadeau gaf, hard nodig.

Gisteren besefte ik dat je jarig was en ik heb dat hier in m'n eentje gevierd met een aanzienlijke hoeveelheid bourbon, die je hier overigens alleen maar in regeringszaken kunt kopen. Gelukkig ben ik vandaag, nu ik je schrijf, weer fit, want vanavond moet ik naar een van die talloze en uitbundige parties, waar ze hier zo'n hartstocht voor hebben.

Regende het de 21ste bij jullie? Zolang ik me herinner worden je verjaardagen gekenmerkt door de druilerigheid van het weer. In mijn onderhoud voorzie ik door artikeltjes te schrijven voor een encyclopedie voor de visserij; dat is zeer eenvoudig, want de informatie die ik nodig heb staat in elk boek dat ik in de boekwinkels van Ottawa kan kopen. Een vriendinnetje heeft op mijn voor haar onverklaarbaar verzoek de schrijfmachine met haar nagellak vuurrood geverfd. Ik hoop dat dat je plezier doet. Voor de rest doe ik niets dat me inspanning kost. Hier in de buurt wonen een paar Nederlandse immigranten, die voortdurend contact met me zoeken. De man heeft me zijn Van Dale uit 1947 cadeau gedaan, omdat hij er naar zijn zeggen toch niets meer aan had. Ik lees nu Nederlandse woordjes.

Maar goed. Met al dit geschrijf wil ik je eigenlijk iets zeggen over gisteravond. Het was erg koud in huis en ik zat op een krukje voor de open haard in het vuur te staren. Naast mij stond de fles bourbon en ik had eigenlijk niets te wensen over. Maar je zult zien dat op dat soort momenten een verlangen opkomt naar minder rooskleurige toestanden. Ik moest aan kapitein Haddock denken, je herinnert het je wel, die in *De krab met de gulden scharen* in de Sahara loopt terwijl zijn laatste fles whisky verdwenen is en die alsmaar ontroostbaar herhaalt: 'Het land van de dorst, het land van de eeuwigdurende eindeloze dorst.' Ik voelde me het tegenovergestelde van die man, mij blijft niets meer te wensen over. Of moet ik nu weer verder van me zelf? Waar naar toe? Naar Japan? Naar Zuid-Amerika? En ik ben al zo moe. Waarom ben ik weer niet tevreden?

Er kwam een grote wanhoop over me en een zeer sterk heimwee naar Europa. Misschien allemaal onder invloed van de drank, maar Europa kreeg een magische betekenis voor me: de smoezeligheid van haar pleinen, haar bibliotheken, de transpiratie van het verstopte verkeer, haar markten, de cadans van haar talen, de grensovergangen, de fonteinen, de stoffige musea, de carillons, de klokken. De oudste steen in dit land is honderd jaar geleden gemetseld.

Lieve lieve D., toen ik naar dit land trok, had ik me zelf voorgenomen nooit terug te kijken naar wat achter me lag. Dat was me aardig gelukt, maar gisteren, drijvend op mijn heimwee, kwam alles in een grote golf- stroom over me heen: ik zelf achter op de fiets bij mijn vader; onze tuin met de india- nenpaal, mijn oude radio in Amsterdam, de eerste films van de nouvelle vague waar we op onze collegekaarten goedkoop in konden, het denken aan die oorlog die we niet be- wust meegemaakt hadden, maar waar we later overal de sporen van terugvonden; en weet je nog die sportdag van school in 1963, toen ik was blijven zitten? Ik stond nors op het veld en wilde nergens aan meedoen, toen jij op me afkwam, verend lopend op witte gymnastiekschoenen en je magere brui- ne benen hielden voor mij stil, toen je me meedeelde dat ik nu bij jou in de klas kwam. Misschien hield ik toen al zoveel van je als ik nu doe, maar de tijd en de afstand hebben het me moeten leren en daarmee zijn zoveel jaren verknoeid.

Mijn lief, mijn lief, over een week is deze brief bij je. Word er maar niet al te treurig van, want misschien is dan alles al onwaar. Nu is het waar en gisteravond, maar helemaal zeker weet je nooit of het niet een gevoel is wat je denkt, en dat in werkelijkheid niet aanwezig is. Is het voldoende als ik zeg dat ik je liefheb, voor altijd liefheb, hoe lang dat altijd ook zal mogen duren? Frank.

Ik steek een sigaret op en denk in de nu snel vallende avond aan Frank, die ver weg op een krukje voor een open haard aan zijn liefde heeft zitten denken. Buiten begint het te regenen op de bruine herfstbladeren. Tijd en afstand hebben Frank geleerd dat de jaren verknoeid zijn. En ik weet het ook: missen is heviger dan hebben.

Maar godallemachtig, is het niet om te huilen dat dit maar dénken is, onbetááld denken, een jaar geleden als spelletje door mij begonnen en braaf en netjes door Frank ingevuld? Dat we de godganselijke dag bezig zijn met dat luchthartige en virtuoze spel, ons overgeven aan de lucide genoegens van het denken? Zonder het te hebben, je

een dag uit het verleden denken, een paar
truien, een liefde? Dat we soms zelfs denken dat we een gemis hebben op te vullen
dat er wie weet niet eens is? Denken in betrekkelijke eenzaamheid en comfort, denken
aan iets, over iets, aan iemand, voor iemand,
over iemand, dag in dag uit je zelf besode-
mieteren. Is het niet om razend van te worden?

Aan mijn hoeden meet ik mijn succes. Als kind droeg ik geen hoeden. Pas toen ik Freddy leerde kennen ben ik ze gaan dragen. Ik heb nooit geweten wat een grilligheid er bestaat in de vormen van hoeden. Elk nieuw model verandert mijn stemming maar bouwt toch voort op de weg die ik ben ingeslagen.

Ik koop ze bij Holkema. Die is verrukt over zijn hoeden op mij. Voor hem ben ik een wandelende reclame. Alle hoofdsteden van Europa richten zich naar mij, als ik hem geloven moet. Bescheidenheid is niet zijn sterkste kant. Want het zijn natuurlijk niet alleen mijn hoeden die het hem doen. Een belangrijke reden voor het feit dat ik me zelf herhaaldelijk tegenkom in bladen als *Paris match* en *Corriere della sera* is dat ik een rijke vrouw ben, gemeten naar de maatstaven van Nederland dan nog altijd. Zeker niet minder belangrijk is het dat ik zo nu en dan – en dat steeds veelvuldiger – aan de zijde van Joey Santa gesignaleerd word. En dat is dan wel een van de rijkste mannen van de wereld, die bovendien altijd zo provocerend optreedt, dat hij van een blauwe plek nog wereldnieuws weet te maken. Mijn enige echte bijdrage tot het aantrekken van de pers is de zorgvuldigheid waarmee ik mijn accessoires uitkies: de geraffineerde combinatie van een groen leren hoed met groen leren koffers; de durf van een fluwelen baret met fluwelen lieslaarzen over een wit zijden broek. Freddy had me zo eens moeten zien.

Dat ik weer aandacht voor dit soort zaken heb, stemt me tot tevredenheid. In de belangstelling voor kleine zaken toont zich de vitaliteit. De tijd dat ik in een verduisterde kamer lag is definitief voorbij. Ik moet zeggen dat iedereen erg zijn best heeft gedaan. Ze hebben Freddy's foto's weggehaald en de kasten leeggeruimd. In de hal stonden de koffers met zijn kleren en in de slaapkamer lag ik in het donker te wachten totdat ze weg zouden gaan met die koffers. Praten deed ik nauwelijks. Mijn armen en benen leken verlamd; slapen was onmogelijk; mijn hoofd was zo zwaar alsof ík begraven was en droomde dat ik wakker moest blijven. Maar ik leefde en sliep niet meer en dat was de omgekeerde verschrikkelijke werkelijkheid. Een depressie, constateerde de dokter, die met zijn diagnoses het hele heelal plat trachtte te krijgen. Dat was dan heel juist geconstateerd maar intussen lag ik in de totale verfrommeling in het donker en kon geen kant meer op. Er zijn dan altijd mensén die zo nodig op de rand van je bed de positieve kanten van het leven moeten aanstippen. Ik was toch jong en mooi en rijk en had het hele leven toch nog voor me. Dat is me inmiddels ook allemaal duidelijk geworden, maar toen hoorde ik niet eens wat ze zeiden. Het enige waar ik me mee bezig kon houden was het beeld van me zelf in de branding die over het strand rolde, tot aan de plaats waar een man lag die op Joey Santa leek. Alsof een depressie alleen nog niet genoeg was. Voor de rest kon ik alleen maar denken aan de vergeefsheid van het bestaan van het lelijke kind dat ik was en de mooie vrouw die eruit gegroeid is.

Dat laatste is geen koketterie van me. Ik was heel onaantrekkelijk. Freddy noemde me altijd het lelijke jonge eendje als hij vroegere foto's van me bekeek. Daar stond ik bij voorbeeld tussen al die blonde engeltjes die op ballet de pasjes van de juffrouw nadeden en stapte met brilletje en beugel voor mijn tanden heel verbaasd precies de andere kant op. Het was een lijdensweg en heel vaak heb ik stilletjes gewenst dat ik dood was. Maar de zaken gaan nooit zo eenvoudig als je zou willen. Nu ben ik mooi en bevallig en draag mijn hoeden als een koningin zoals Freddy me noemde. Vergeefse moeite eigenlijk.

Freddy's onooglijkheid heeft hem zelf nooit gestoord. Ik heb hem leren kennen op de middelbare school, op het moment dat ik langzaam maar zeker mijn vleugels begon uit te slaan. Prompt de eerste keer dat hij mij zag werd hij verliefd op me, – en hij was kansloos. Hij was vrolijk en vechtlustig en wist het te presteren in elke klas wel een keer te blijven zitten. Ook dat deerde hem niet. Zijn enige ambitie was een beroemd bokser te worden, eenmaal met de grootste in de ring te mogen staan, terwijl ik – zijn vrouw – buiten de touwen toekeek. Aan die twee projecten besteedde hij al zijn tijd en zakgeld. Uiteindelijk heeft hij het allebei bereikt. Intelligent en volhardend bokste hij zich de ladder op. De kranten prezen hem niet om zijn kracht maar om zijn tactiek en noemden hem de schaker onder de boksers. Na elke overwinning rustte hij in mijn armen uit en noemde mij zijn belangrijkste stuk in het spel, zijn koningin.

Intussen zit ik met de brokken. Alleen de witte koningin en de zwarte koning zijn nog in het veld. Van zo'n schaakspel heeft nog niemand ooit gehoord. Godzijdank weet ik niets van schaken, zodat de sprongen die ik op het bord maak geen enkele rechtvaardiging van regels nodig hebben. Het is eenvoudiger dan men denkt om de vrijblijvende kleinheid van het spel, buiten de rand van het bord, om te zetten in daden. Als men maar weet dat men niets te verliezen heeft. Het kopen van een breedgerande hoed bij Holkema na mijn depressie was de openingszet. Heel lang hoefde ik niet te wachten op het antwoord van de tegenpartij. Joey Santa stuurde me bloemen uit alle delen van de wereld. Rozen en anjelieren, omwonden met zijden linten en – dat is het enige belangrijke – telkens ondertekend met zijn naam.

Het is alleen zo moeilijk om te rechtvaardigen waarom ik de partij speel. Waarom leef ik niet rustig met me zelf in een kleine stad bij de zee? Waarom ben ik met een bokser getrouwd? Omdat het Freddy was? Omdat ik zo hield van de manier waarop hij zijn pudding at, in bad lag, vrolijk en volhardend mij liefhad? Waarschijnlijk zijn dat geen redenen. Niemand houdt van iemand omdat hij van hem houdt. Freddy was een plaatsvervanger. Hij vocht – en dat bedoel ik letterlijk – tegen het verlies van het bewustzijn en daarmee van de wereld. Ik leefde daardoor in de luwte. Maar iedereen blijkt sterfelijk. Ik ben de partij die ik nu speel niet begonnen omdat Freddy wegviel, maar omdat ik na zijn nederlaag in een depressie terechtkwam. En deze keer was het niet maar stilletjes dat ik wenste dood te zijn. Om die wens tot overgave te vermijden moet ik vechten en denken, zoals Freddy altijd gedaan heeft, waarmee hij mij mijn onbezorgdheid liet. Die tijd is nu voorgoed voorbij.

Toch leek alles nog zo goed, niet eens zo heel lang geleden.

Freddy was in vorm en vol vertrouwen. Het ging hem er niet om te winnen. Hij had Joey Santa uitgedaagd om een overwinning op zich zelf te behalen, het enige motief waarom Freddy ooit de ring inging. Twaalf rondes stand te houden tegen de grootste. In twaalf rondes niet knock-out te gaan. Nooit knock-out te gaan. Op punten zou hij verliezen, dat was zeker. Maar wat waren punten nu? De banale vertaling van een superieur gevecht tegen je zelf. Door te zetten tegen de pijn en vermoeidheid in. Willen toegeven aan dat geruststellende zwarte niets dat je elk moment omhullen kan, contra de angst om daar ooit in terecht te komen. Dat was dan de uiteindelijke overwinning na zoveel rondes: dat hij het weer gehaald had, dat hij uiteindelijk toch sterk genoeg was om weerstand te bieden aan de verlokking van het bewustzijnsverlies, dat hij er macht over had. Het geld was een plezierige bijkomstigheid. Daar kon hij mij mee verrassen, zijn mooie vrouw, die, een bontjas over de schouders, glimlacht naar de opdringerige fotografen.

Freddy was een paar weken eerder naar Djakarta gegaan om te wennen aan het klimaat. Hij was opgewekt toen ik hem weer zag, een klein half uurtje voor de grote wedstrijd. Mij overviel de hitte als een klamme spons, maar hij had er nauwelijks last van. De negende ronde was kritiek, vertelde hij me op weg naar de grote sporthal. Was hij daar doorheen dan was er niets meer te vrezen. Bij onze aankomst plukte een buigende official mij van Freddy af en geleidde me onder het flitslicht van de pers naar mijn plaats, vlak bij de touwen. Er hing een vette walm van zweet en oude nasigerechten in de hal. Opgewonden, dicht opeengepakt zat de massa achter mijn rug en de deinende beweging van hun emotie duwde mij bijna de ring in. De televisiespots verhoogden de temperatuur aanzienlijk. Het zweet liep al in straaltjes van mijn rug toen Freddy en Joey Santa de ring in kwamen. Geen groter verschil dan tussen die twee mannen. Freddy, een hoofd kleiner dan Santa, klom ernstig naar boven, zijn met blond dons overdekte schouders opgetrokken, al was er nog geen sprake van een gevecht. Joey Santa's prachtige lijf was gekleed in een zwart broekje, dat niet te onderscheiden was van zijn donker glanzende huid. Hij hief zijn legendarische vuisten in roze bokshandschoenen boven zijn hoofd en grijnsde breed tegen de hem toejuichende menigte, alsof de overwinning al beklonken was. Toen hij mij zag zitten, boog hij zich ver over de touwen en drukte zijn mond op zijn polsen, die hij daarna in een quasi gebaar mij aanbood. Ik werd misselijk en stak een kauwgum in mijn mond. De bel voor de eerste ronde luidde. Joey Santa ging onmiddellijk tekeer als een duivel. Hij sprong om Freddy heen, haalde soms naar hem uit en danste als een prima ballerina in het rond. Freddy draaide log om zijn eigen as en hield zijn handen beschermend tegen zijn slapen. Soms viel ook hij aan, maar Joey Santa's hoofd was meestal te ver weg voor zijn armen. Een enkele keer pakte Joey Santa Freddy beet en sloeg hij onder en boven op zijn hoofd, in een razend tempo, als een dolgedraaide tijger. Achter mij zwoegde en deinde de menigte. Het was een roofdierkooi. Na zes rondes waren Freddy's ogen dichtgeslagen. Hij danste log en blind in de ring, maar ging niet knock-out. Gedurende de negende ronde was de stinkende menigte haast niet te houden. Santa had Freddy er in zes, zeven rondes onder moeten krijgen. Dit zou een nederlaag worden, ook al won de grote Santa dan op punten. De televisielampen straalden gloeiend licht uit; de commentatoren riepen hun boodschappen in verschillende talen in de microfoons. Ik keek, geobsedeerd door Joey's bewegen, de negende ronde uit. Freddy haalde de negende ronde.

Toen gebeurde dat vreemde, dat niemand begreep.

De bel voor de tiende ronde luidde. Joey en Freddy kregen hun gebitsbeschermers weer in, kauwden even tot het goed zat en stonden langzaam op. Santa spuwde op de grond en begon weer te dansen, al was het hem aan te zien dat hij vermoeid raakte. Freddy stond midden in de ring, doodstil. Hij zag niets meer en draaide zijn gebogen hoofd in de richting van zijn tegenstander. Toen hief hij plotseling het hoofd op van zijn schouders en schudde in heel zijn lichaam. Hij deed een stap op Joey toe, omklemde diens slapen met zijn handen en liet zijn hoofd zinken op Joey's borst. Het was een bijna teder gebaar, dat hier niet paste. Het gegil van de menigte snerpte tegen de nok van de hal. Joey Santa danste niet meer, maar stond doodstil, zijn armen slap langs zijn lichaam. Even maar. Toen

opende hij zijn mond wagenwijd, schreeuw-
de en beukte als een razende met die roze
klauwen van hem op Freddy's onbescherm-
de slapen. De scheidsrechter moest hem weg-
trekken, want hij beukte door, terwijl Freddy
al lang machteloos was en van hem af begon
te glijden, langs dat zwart glanzende lichaam
van Joey naar de grond.

Freddy kwam niet meer tot bewustzijn.
Ook niet na het tellen, dat een oneindigheid
leek te duren. Ook niet in de ziekenauto,
die met ons door het hete Djakarta joeg. Alles aan Freddy probeerde wel terug te komen: hij schokte en trilde als iemand die een
epileptische aanval heeft. Hij vocht als een
razende tegen dat donkere, hij ging tekeer
in zijn lichaam en wilde terug van dat moment van nooit meer terug kunnen. Maar
toen we de oprijlaan van het ziekenhuis op-
reden lag hij al stil en had hij al verloren.
Hij leefde nog tien uur. Zijn hart en longen
functioneerden nog. Ik kon niets doen om
hem te helpen.

Op de een of andere manier bevalt het huis waar ik met Freddy gewoond heb mij niet meer. De kamers staan vol met herinneringen die geen emoties meer in me opwekken. Het bed is te groot voor mij alleen. Elk klein detail herinnert mij eraan dat ik hier niet meer thuishoor. Dat ik een vreemdeling ben in de streken waar ik in de luwte tot bloei ben gekomen. Tegenwoordig voel ik me beter thuis in hotelsuites, in de exclusieve eetgelegenheden van Parijs en Helsinki, waar alles ondanks de gevarieerdheid van het menu hetzelfde smaakt. Daar is de wereld tenminste ronduit vreemd en houdt zij geen enkele illusie op van veiligheid en herkenning. Daar moet je je zelf elke keer opnieuw waarmaken met onwaarschijnlijke kunstgrepen in je kleding of gedrag. De mensen om je heen zijn schimmen van werkelijkheid. Elk gesprek met hen draait uit op een beschrijving van het leven in hotels. De eenzaamheid in hotels is groot, maar ook duidelijk. Ik voel me er verlaten en gemotiveerd.

Joey Santa, die me kushandjes toewierp

vlak voordat hij mijn Freddy in mekaar sloeg, Joey Santa stuurt me telegrammen en vliegtuigtickets; treedt me tegemoet in het schemerlicht van hotellounges. Onder het mom van vergiffenis vragen neemt hij me mee uit naar vrienden van een onwaarschijnlijk kaliber. Met mondjesmaat geef ik gehoor aan zijn uitnodigingen. Langzamerhand raak ik gewend aan zijn zwarte hand op mijn hand, aan de geur van zijn glimmende huid, aan zijn soepele manier van bewegen. En dat niet alleen. Het is waar dat er een speciale bekoring van deze man uitgaat, een schijn van onoverwinnelijkheid, die even vanzelfsprekend bij hem hoort als zijn wil mij aan zijn zijde te hebben. Wat de man bezielt om zo achter mij aan te zitten is me niet helemaal duidelijk. Misschien vindt hij het een uitdaging om de weduwe van zijn slachtoffer te veroveren. Wie weet valt hij op blanke vrouwen. Een primitief instinct voor dat soort overwegingen zal hem niet vreemd zijn. Niet voor niets heb ik hem bezig gezien in de ring.

Ik doe alsof ik langzaam maar zeker aan

hem toegeef. Stap voor stap heb ik Freddy vooruit zien komen in zijn carrière, naar dat punt waarop hij Joey Santa uitdaagde en ik voor de bijl ging in een maanden durende depressie. Joey Santa, de mooiste man die ik ooit gezien heb en onbetwist de grootste bokser die mij wil hebben.

Maar het zal anders gaan dan hij denkt. Eerst zal ik hem langzaam naar mij toehalen. Hoe zal ik hem dan doden?

Hij zal langer moeten vechten tegen de dreiging van de knock-out dan Freddy, omdat hij zelf zo zwart is en zijn tol moet betalen. Ik zal geen wapen gebruiken, zelfs geen langzaam werkend intelligent vergif. Misschien geef ik hem eerst mijn liefde als verdoving. Om dan in de loop van de jaren – want zo lang kan het duren – te zien hoe hij trager wordt in de ring, hoe hij kleiner wordt, hoe zijn huid minder gaat glanzen. Hoe de koning ten slotte weggeslagen zal worden door een nieuwe koning. Dan zal ik me langzaam van hem terugtrekken, maar ik zal wel blijven kijken hoe hij vecht tegen dat zwarte, dat uiteindelijk nog zwarter is dan hij. Waar zelfs Joey Santa van verliest.

# De zaak Judith Reiss

De verwarring die er bij ons heerst is vervelend.

Herhaaldelijk krijg ik brieven die ik niet wil lezen en belangrijke zaken lopen in het honderd. Soms krijg ik binnen het kwartier twee koppen koffie, een andere keer word ik overgeslagen. Dat is allebei vervelend, want de koffie is erbarmelijk maar onontbeerlijk. Secretaresses en rondlopend personeel vertonen de eigenschap om alles zo te draaien als je het niet wilt hebben. Zo krijg ik, als ik klaag over de twee koppen koffie, de volgende dag dríé bekers chocolademelk uit de kantine-automaat, een opeenhoping die mij ergert, vooral vanwege de uitgesproken zoetheid van de chocola. Telefoongesprekken die ik aanvraag, leveren de verkeerde stemmen aan de andere kant van de lijn op. Mijn behandeling van de zaak Nussbaumer is op die manier een fiasco geworden, dat drie moorden telde voordat de re-

chercheafdeling van Bonn het mysterie op-
helderde. Geen goede beurt voor Holzberger.

Het is natuurlijk mijn taak om een algemene vergadering te vragen, waar de zaak
uit de doeken gedaan kan worden. Maar ik
heb mijn redenen om daar nog even mee te
wachten. Laat mijn superieuren nog maar
even denken dat Holzberger de zaken door
elkaar haalt.

De ware schuldige is de nieuwe man op
de afdeling Verkeer. Of nee, in mijn vak
moet je objectief kunnen denken: hij is evenmin als ik schuldig aan de verwarring die er
ontstaan is. Ik heb zijn naam vorige maand
op de lijst van nieuwe benoemingen ontdekt.
Hij schijnt vanuit Aschaffenburg gepromo-
veerd te zijn en de mensen bij wie ik voor-
zichtig naar hem geïnformeerd heb, noemen
hem bekwaam, vriendelijk en zeer inspire-
rend. Ik heb hem nog niet persoonlijk ontmoet, maar zijn naam sprong als een oud
zeer uit de lijst omhoog. Franz-Josef Bergenkreuz. Dat zijn voornaam hetzelfde is als

de mijne, heeft me al in 1932 doen besluiten mijn naam te veranderen in Josef, ondanks het al te katholieke van die naam voor een man als ik die nooit zijn andere wang zal toekeren.

In ons vak is emotie een factor die buiten spel gezet dient te worden. Haat of medelijden mogen geen drijfveren zijn van onze daden. Integendeel. We reduceren de haat van anderen, die hen ertoe brengt iemand de hersens in te slaan, tot een objectief patroon van tijd, plaats en handeling. De afstanden tussen die drie gegevens proberen we te overbruggen met telefoongesprekken en razend snel uitgewerkte rapporten. Het is altijd een wedloop tegen de tijd, een andere en rekbaarder tijd dan die van het misdrijf. Want soms duurt het jaren voor een probleem is opgelost. Een van de eigenschappen die je in dit vak dan ook moet hebben of kweken is een ijzersterk geheugen. Een tot nu toe onopgehelderd probleem is bij voorbeeld de zaak van de moord op de callgirl M. D. We weten alles: wat ze gegeten en gedronken heeft, wie er zwijggeld hebben gekregen, de hoogte van de verdieping waar ze uit het raam is geduwd, de afspraken die ze vóór en ná de fatale afspraak had, de namen van regeringsambtenaren die erbij betrokken zijn, het merk parfum dat ze op had, haar miserabel en loederig karakter. Alleen niet van wie de handen zijn, die haar de zo begrijpelijke duw in de rug gegeven hebben. Alle gegevens zitten in een dossier in brandvrije kasten. Maar ze zitten ook in mijn hoofd. Daar ligt de puzzel op zijn laatste stukje te wachten. Eén gedachteloze zet van de sympathieke moordenaar en het stukje valt op zijn plaats. Zover zijn we nog niet, maar mijn geheugen is geduldig.

Een mislukking als met Nussbaumer is me dan ook nog nooit overkomen. En ik ben niet onredelijk als ik zeg dat Franz-Josef Bergenkreuz er de aanleiding toe is geweest. De man zal ook mijn naam wel kennen en het moet toch bij hem opgekomen zijn dat de vele vergissingen te wijten zijn aan de stupiditeit van de werknemers hier, die F.-J. Holzberger en F.-J. Bergenkreuz in een primitief christelijke synthese vatten om daar verwarring, inefficiëntie en zoetigheid mee rond te strooien, de drie pijlers van het christendom.

Maar ik zal me niet laten verleiden tot het koesteren van haatgevoelens tegenover Franz-Josef Bergenkreuz en het dossier van mijn geheugen zo objectief als ons vak vereist op schrift stellen:

De hoofdpersoon in het drama dat zich in het voorjaar van 1932 heeft afgespeeld is Judith Reiss, geboren in de winter van 1920. In 1932 woonde Judith Reiss nog altijd in de Adelbertstrasse in Frankfurt a/M, een hoge en donkere straat. De elektrische tram reed door die straat. Aan het eind ervan lag de Wilhelmplatz. Daar scheen altijd de zon. Er liepen meestal duiven om de fontein, die in grote groepen dooreen krioelden als er voer gestrooid werd. Aan de tram waren de duiven gewend, maar niet aan de honden die met onstuimig geblaf hun rust verstoorden, noch aan de kinderen. Overdag lag de

Wilhelmplatz stil in de zon. De drukke Adelbertstrasse liep in een boog om het plein en
hield de verkeersstroom weg. Op de banken
van het plein hielden oude mannen elkaar
gezelschap en moeders met volle boodschap-
pentassen wisselden ervaringen over de prij-
zen uit.

Maar 's middags na vieren stopte de tram
halte Wilhelmplatz en sprongen de kinderen
van de buurt van de treden, elkaar duwend
en tikkend, de schooltassen op de rug, de
schoolpetten op het hoofd, om hun doelloze
ren tussen de duiven te beginnen.

Een van die kinderen was Judith Reiss,
met haar blauwe schoolovergooier en donkere dansende vlechten in bijna niets te onderscheiden van Hanna Tasch, of Elvira
Franken of Lisa van de tweede verdieping.
Misschien was ze iets vindingrijker en over-
moediger dan de anderen en ging alles wat
ze deed met wat meer lawaai gepaard, maar
dat kwam ook omdat ze ijzeren stukjes onder haar schoenen had, tegen de slijtage.

's Morgens sprong ze met Hanna Tasch

en Franz-Josef I op de tram naar school. 's Middags kwam ze wel eens te laat thuis omdat ze met Hanna Tasch en Franz-Josef I in de paternosterliften van het warenhuis de portier getreiterd hadden, of omdat ze distels geplukt had op het stuk land achter de school, om die stiekum tussen de lakens van Lisa van de tweede verdieping te schuiven, die tuberculose had en in volkomen aanbidding aan Judith Reiss was overgeleverd.

In de klas van Judith Reiss, Hanna Tasch en Franz-Josef I, zat ook Franz-Josef II, die niet in de Adelbertstrasse woonde en wiens aanwezigheid nogal eens verwarring veroorzaakte bij beurten en cijfers. Tussen Judith Reiss en Franz-Josef II was iets aan de gang dat niemand precies begreep, zij zelf wel het allerminst. Misschien had het te maken met een eerste liefde, die alleen nog maar als verwarring gevoeld werd en die wie weet die zomer herkend en begrepen zou worden. Het was begonnen de dag dat de zeppelin boven Frankfurt te zien was en in de algemene opwinding in de drukke straat Judiths kleinere broertje Dieter onder de voet gelopen dreigde te worden. Toen was daar Franz-Josef II opgedoken die de kleine jongen tegen zich aangedrukt had, zijn hoofdje beschermend tegen zijn buik gehouden had en verlegen glimlachend in Judiths wijde blauwe ogen gekeken had.

Sinds die tijd gebeurde het soms dat Judith Reiss in haar wilde ren op de binnenplaats van de school plotseling stilhield en een trage blik over haar schouder wierp naar Franz-Josef II, die tegen de muur van de school geleund naar haar stond te kijken. Natuurlijk werd zij op dat moment dan getikt en terwijl ze haar kniekousen optrok verloren haar blauwe ogen die nadenkende uitdrukking om weer overmoedig en vrolijk te worden en ze te richten op Franz-Josef I die ze achterna begon te zitten.

In de klas bloosden ze nooit, als ze toevallig iets tegen elkaar zeiden, Judith Reiss en Franz-Josef II en er heerste tussen hen een volwassen ernst die de rest van de klas buitensloot.

Maar Franz-Josef I was haar beste vriend. Hij was dat geweest vanaf het moment dat Judith Reiss leerde lopen en het nog helemaal niet te voorzien was dat ze later op haar schoenen met ijzers iedereen de baas zou zijn met hardlopen. Hij was haar trouwe helper en adjudant, hij begeleidde haar op al haar avonturen, luisterde naar haar fantastische en overdreven verhalen en deelde alle geheimen van stille steegjes en onvindbare bergplaatsen met haar.

Gaat het te ver om te veronderstellen dat Franz-Josef I en Franz-Josef II een hekel aan elkaar hadden?

De grootste daad van Judith Reiss was het stelen van het handje uit de winkel van meneer Immergrün geweest. Een stokje met een handje aan het uiteinde om mee op je rug te krabben in de badkuip. Een lang gekoesterde wens van haar, maar met geen enkele kans op verwezenlijking. Toen had Franz-Josef I met meneer Immergrün gepraat over de Latijnse namen op de bruine stopflessen en Judith Reiss had kalm een handje uit de bak op de toonbank gepakt en het in haar overgooier laten glijden. Toen ze trillend van angst en trots naar buiten liep, stond Franz-Josef II in de deuropening, die dit keer niet naar haar keek maar naar Franz-Josef I, die waarschijnlijk met een even lege blik terugkeek.

Het volgende is, evenals gedeeltes van het voorafgaande, een reconstructie van de gebeurtenissen, waarin veel gissingen en onduidelijkheden voorkomen. Deze reconstructie is het resultaat van creatief denkwerk, om de weinige feiten die bekend zijn tot een sluitend geheel te maken. Want alles is al zo lang voorbij en er is zoveel verdriet bijgekomen, dat de een of andere toedracht slechts op deze manier te achterhalen is.

Judith Reiss en Franz-Josef I bewaarden het handje waarschijnlijk op een plank in de kelder van het huis in de Adelbertstrasse, opdat niemand het te weten zou komen. Die kelder had blauw geverfde ramen met tralies aan de buitenkant. Het huis was het laatste in de rij van de Adelbertstrasse en als de ramen niet blauw geverfd waren zou je je op ooghoogte bevinden met de duiven op de Wilhelmplatz. Judith Reiss had haar moeder gevraagd waarom de ramen blauw geverfd waren. Het waren schuilkelders geweest in de oorlog en in de klas had Judith Reiss moeten vertellen wanneer die oorlog geweest was en hoeveel dappere Duitsers er gesneuveld waren.

De kelder was de vaste speelplaats van haar en Franz-Josef 1. Maar omdat zíj tenslotte het handje gestolen had en het eerst geweten had waarom de ramen blauw geverfd waren, was zij de baas in de kelder. Franz-Josef 1 zal zich daarbij neergelegd moeten hebben.

Na hun dagelijkse ren over de Wilhelmplatz, was hun eerste gang naar de kelder. Behalve op dagen dat Judith Reiss naar Lisa op de tweede verdieping moest, waar ze een hekel aan had.

In de kelder draaide de tijd terug naar de vernederende oorlog die ze niet meegemaakt hadden. Judith Reiss krabde met het handje langs de muren en dan riepen ze: 'Eruit, laat me eruit.'

Of: 'We stikken hier, God sta ons bij.'

Totdat het begon te vervelen.

Het was Franz-Josef I die de vondst deed die hem evenveel recht op de kelder gaf als Judith Reiss. Op school vertelde hij het haar al en Franz-Josef II, die het hoorde, zei dat je met dat spul op moest passen. En Judith Reiss' ogen veranderden binnen de minuut een paar keer van vrolijk blauw naar wijd blauw en ze streek met een hand wel honderd keer een losgeraakte krul achter haar oor. En toen vroeg Franz-Josef II, in het bijzijn van Franz-Josef I, of Judith Reiss zin had om na school met hem te gaan wandelen. Dat was bijna een te moeilijke keus tussen de vondst van Franz-Josef I waar ze brandend nieuwsgierig naar was, en de ernst van Franz-Josef II die nieuw en onbegrijpelijk was. Ze wiebelde van het ene op het andere been en keek naar de lucht en naar haar schoenen en zei ten slotte tegen Franz-Josef II met een glimlach die alles inhield wat er al heel gauw tussen hen kon beginnen, dat ze déze middag met Franz-Josef I zou meegaan, maar dat ze mórgen met hém zou gaan wandelen. En toen rende ze weg in een luidruchtig getik van ijzer op steen, en de vlechten en haar schooltas dansten op haar rug.

Die middag werd de oorlog in de kelder veel echter want Judith mocht de helm van de vader van Franz-Josef I op, en Franz-Josef I had de revolver, waartegen het handje van Judith een belachelijk wapen was. Zo verloor ze de strijd en moest met haar handen omhoog en haar gezicht naar de blauwe ramen gaan staan. Het handje op het stokje in haar hand stak dwaas in de lucht.

'Ik sterf voor mijn liefde,' sprak Judith Reiss, een fatale zin die ze in een boek gelezen had, en ze gaf de helm die over haar ogen gezakt was een duwtje.

'Handen omhoog, zei ik,' riep Franz-Josef I wanhopig en haalde de trekker over.

De kogel maakte een rond gaatje in de helm.

Judith Reiss zal gedacht hebben dat de liefde blauw was, en de pijn, en de wereld, en de verbazing ten slotte die het laatste kwam, terwijl ze viel, heel langzaam, naar de blauwe ramen toe, die op haar afkwamen. Het handje was door de schok uit haar hand geslingerd en tikte tegen het blauwe glas. Buiten op de Wilhelmplatz zullen de duiven voor de tralies even opgevlogen zijn uit hun domme argeloze loop om iets verderop weer neer te strijken. Zo zou het gebeurd kunnen zijn.

Ik koester geen haat tegen de moordenaar van Nussbaumer, die mij drie maal te slim af was. Tussen een slimme moordenaar en mij bestaat zelfs een zekere relatie. Ik probeer me hem voor te stellen als iemand die ik goed ken, die mijn vriend zou kunnen zijn. Ik probeer erachter te komen wat hij denkt, wat zijn motieven zijn, wat hij zou moeten doen om aan mij te ontkomen. Het is een wedloop tussen zijn denken en het mijne. De eenvoudige reden waarom ik meestal win, is dat ik geduldig ben en hij niet, dat ik geen emoties over het gebeurde heb en hij wel.

Maar mijn dromen kan ik niet regelen. De vele eenzame morgens dat ik wakker word en mijn lichaam zwaar is van wanhoop, alsof het nooit meer van het bed kan opstaan, omdat ik Judith Reiss gezien heb in mijn droom, geluidloos dansend over een verlaten binnenplaats, of voor mij uit lopend met een schooltas die te zwaar is voor haar smalle schouders en waaronder ze kleiner en kleiner wordt en ten slotte bezwijkt.

En erger nog zijn de momenten waarop ik haar meen te herkennen op straat, in een donkerharig meisje dat uitgelaten rond een haltepaal zwiert aan één arm en tegen mij lacht, of in een meisje dat ik voor een stoplicht wachtend naast mij in de tram ontwaar en dat mij in mijn auto aanstaart met een verdrietige en toch verwarde blik uit haar blauwe ogen, alsof ze mij herkent zolang het licht op rood staat. En heel soms passeert mij een vrouw op straat die wijd opkijkt vanwege mijn starende blik en daarna haar blauwe ogen overmoedig laat stralen, omdat ze denkt dat het om haar gaat. Maar alles is tevergeefs, want ik kan Judith Reiss nooit meer bereiken.

En nu is op de afdeling Verkeer Franz-Josef Bergenkreuz gekomen. Ik ben hem nog niet tegengekomen, maar hij moet weten dat op de afdeling Moordzaken Franz-Josef Holzberger zit. Men haalt onze namen door elkaar en dat is lastig. Maar wat is dat ongemak, vergeleken bij het geluk dat ik voel dat de puzzel eindelijk in elkaar zal passen?

De man bij wie Judith Reiss eigenlijk hoorde, de man die er uiteindelijk verantwoordelijk voor is dat ik Judith Reiss niet elke nacht in mijn armen koester, is binnen mijn bereik. Hij zal hetzelfde denken als ik. Hij kan mij dezelfde verwijten maken, hij zal misschien dezelfde haat koesteren. Maar ik ben geduldiger dan hij. Want tenslotte is mijn dromen en herkennen van Judith Reiss de laatste emotie die ik nog heb. En ik zal pas heel langzaam ertoe overgaan deze laatste droom te verwijderen, door de man te vernietigen die mijn vijand is, mijn meerdere, mijn vriend ten slotte, ja mijn vriend met wie ik een jeugddroom gedeeld heb.

## C. C. S. Crone *De schuiftrompet*

Over C. C. S. Crone.

Menno ter Braak vond Crones stijl 'natuurlijk zakelijk, pretentieloos'.

S. Carmiggelt noemde Crone in een enquête de enige miskende schrijver van Nederland.

T. van Deel zegt dat 'wie *Het feestelijk leven* gelezen heeft [...] niet anders [kan] dan van Crone houden'.

Enno Endt schrijft: 'De zeldzame keren dat ik in de antiquariaatscatalogi het werk van Crone vermeld vind, bestel ik het onmiddellijk, telefonisch. Menige vriend heb ik na zijn verjaardag dankbaar aangetroffen.'

William D. Kuik memoreert Crone als de kroniekschrijver van Utrecht uit de jaren twintig en dertig. Een van zijn vrienden zei: 'Ik kan zijn verhalen niet aan een stuk uitlezen, ze grijpen me te veel aan.' Kuik voegt eraan toe: 'Hij heeft daarin gelijk, maar na een half uur pak je het weer op.'

Peter Vos vertelt in een interview: 'Crone zou ik niet *kunnen* illustreren, zo schitterend is die man. Een zeer onderschatte schrijver.'

Ook als Salamander

Willem G. van Maanen *Hebt u mijn pop ook gezien?*

Hebt u mijn pop ook gezien? Dat is de vraag die een klein
meisje een verloofd paar in een stadspark stelt. De man,
die evenmin als zijn verloofde iets heeft gezien, antwoordt
niettemin dat hij de pop juist voorbij heeft zien lopen,
op weg naar het front: een nieuwe oorlog is misschien
op komst. De pop heeft inderhaast nog beloofd hem wel
bericht te zullen sturen, en hem verzocht de boodschappen aan zijn kleine bazin door te geven.

Deze roman van Willem G. van Maanen gaat over de
vraag of de man, aldus tegen het meisje liegende, het
goede of kwade in de zin heeft. Is hij een ware of een
onware kindervriend? Het verhaal geeft daarover wel
degelijk uitsluitsel, maar de lezer mag het wat dat betreft
best met de schrijver oneens zijn.

Ook als Salamander

Bob den Uyl *Met een voet in het graf*

Bob den Uyl is de meester van het understatement. In zijn koele en beheerste schrijftrant loopt de spanning (vaak ergernis, die overgaat in woede) telkens onmerkbaar op. Een knarsetandend soort humor is er het bijprodukt van.

*Met een voet in het graf* verhaalt van een fietstocht in het onwaarschijnlijke koninkrijk België, van het verlangen een nostalgisch geurende boot te kopen, van een zeiltocht met een meisje die aan de lage wal eindigt, van een voet uiteraard, en van nog veel meer.